日本語能力試験

JLPT

Japanese-Language
Proficiency
Test

公式問題集

N3

音声CD
1枚付

JAPANFOUNDATION 国際交流基金

JEES 日本国際教育支援協会

にほんごの
凡人社
BONJINSHA

はじめに

　日本語能力試験は、日本語を母語としない人の日本語能力を測定し認定する試験として、国際交流基金と日本国際教育協会（現日本国際教育支援協会）が 1984 年に開始しました。以来、関係者の皆様のご支援を得て、日本語能力試験は世界最大規模の日本語の試験に成長しました。1984 年には 15 か国で実施され、約 7,000 人が受験しましたが、2011 年には 62 か国・地域で実施され、約 61 万人が受験しています。

　日本語能力試験は近年、さまざまな変化を経て現在に至っています。2009 年には、それまで 12 月に年 1 回実施していた試験を、7 月と 12 月の年 2 回としました。また、2010 年には、2005 年から多くの専門家のご協力を得て進めてきた試験の改定作業が完了し、新しい「日本語能力試験」を開始しました。現在までにすでに 4 回の試験を実施し、世界中で延べ約 122 万人が受験しています。

　試験の改定内容については、2009 年に、『新しい「日本語能力試験」ガイドブック』と『新しい「日本語能力試験」問題例集』としてまとめ、公開しました。それに続き、このたび、受験者と関係者の皆様のより一層の便宜をはかるため、問題集を発行することにしました。
　本書の構成・内容は次のとおりです。

1. 問題集は、「Ｎ 1」、「Ｎ 2」、「Ｎ 3」、「Ｎ 4」、「Ｎ 5」の 5 冊に分かれています。

2. 試験問題は、今の試験 1 回分に相当する数で構成されています。試験の練習に使えるよう、問題用紙の表紙と解答用紙のサンプルを掲載しています。

3. 聴解の試験問題用のＣＤを添付しています。また試験問題の後にスクリプト（音声を文字にしたもの）を掲載しています。

4. 『新しい「日本語能力試験」ガイドブック』公開以後の情報を含む、今の試験についての最新情報を、「3　日本語能力試験の概要」として掲載しています。

　この問題集が、国内外の多くの日本語学習者の助けとなれば幸いです。

2012 年 3 月

独立行政法人　国際交流基金　　　　　　　　　　　　公益財団法人　日本国際教育支援協会

目　次

1

<ruby>試<rt>し</rt>験<rt>けん</rt>問<rt>もん</rt>題<rt>だい</rt></ruby>

もんだいようし

N3

げんごちしき（もじ・ごい）

（30ぷん）

ちゅうい
Notes

1. しけんが はじまるまで、この もんだいようしを あけないで ください。
   Do not open this question booklet until the test begins.

2. この もんだいようしを もって かえる ことは できません。
   Do not take this question booklet with you after the test.

3. じゅけんばんごうと なまえを したの らんに、じゅけんひょうと
   おなじように かいて ください。
   Write your examinee registration number and name clearly in each box below as written on your test voucher.

4. この もんだいようしは、ぜんぶで 5ページ あります。
   This question booklet has 5 pages.

5. もんだいには かいとうばんごうの 1 、 2 、 3 … が ついて います。
   かいとうは、かいとうようしに ある おなじ ばんごうの ところに
   マークして ください。
   One of the row numbers 1 , 2 , 3 … is given for each question. Mark your answer in the same row of the answer sheet.

じゅけんばんごう　Examinee Registration Number	

なまえ　Name	

問題1 _____ のことばの読み方として最もよいものを、1・2・3・4から一つ
えらびなさい。

1 日本の<u>首都</u>はどこですか。

1　しゅとう　　　2　しゅうと　　　3　しゅと　　　④　しゅうとう

2 <u>地球</u>は太陽（たいよう）のまわりを回っている。

1　じきゅう　　②　ちきゅう　　　3　じきゅ　　　4　ちきゅ

3 あの時計は<u>遅れて</u>いる。

1　こわれて　　②　おくれて　　　3　たおれて　　4　よごれて

4 二人で<u>協力</u>すれば、仕事も早く終わるだろう。

1　きょりょく　　2　どりょく　　③　きょうりょく　4　どうりょく

5 大学の奨学金（しょうがくきん）に<u>応募</u>した。

①　おうぼ　　　2　おうも　　　　3　おうぼう　　4　おうもう

6 子どもの<u>疑問</u>に答えた。

1　くもん　　　　2　きもん　　　　3　ぐもん　　　④　ぎもん

7 試験の成績（せいせき）が<u>発表</u>された。

1　はつひょう　②　はっぴょう　　3　はつひょ　　4　はっぴょ

8 <u>単語</u>のリストはとなりのページにあります。

1　げいご　　　　2　けいご　　　　3　だんご　　　④　たんご

文字・語彙

問題2 ＿＿＿＿のことばを漢字で書くとき、最もよいものを、1・2・3・4から一つ
えらびなさい。

9 みんなで話し合って、問題を<u>かいけつ</u>した。

   1 改決   2 改結   ③ 解決   4 解結

10 山口（やまぐち）さんに東京（とうきょう）を<u>あんない</u>してもらった。

   1 安内   2 家内   3 室内   ④ 案内

11 わたしは<u>けんこう</u>のために毎日走っています。

   1 健康   ② 建康   3 健庫   4 建庫

12 今年の夏は<u>きおん</u>が高かった。

   1 気湿   ② 気温   3 気湯   4 気混

13 頭が<u>いたい</u>ので、薬を飲んだ。

   1 病い   ② 痛い   3 疫い   4 症い

14 このシャツは工場で<u>たいりょう</u>に作られている。

   1 多量   2 多料   ③ 大量   4 大料

問題3 （　　　）に入れるのに最もよいものを、1・2・3・4から一つえらびなさい。

15 この携帯電話はボタンが押しにくいという（　　　）を持つ利用者もいる。

1 関心　　　　②不満　　　　3 目標　　　　4 我慢

16 街を（　　　）していたら、山本さんに会った。

1 ぐらぐら　　　2 がらがら　　　3 ばらばら　　　④ぶらぶら

17 セミナーに参加したい人は、（　　　）に住所、氏名、希望日を書いてください。

1 証明書　　　2 領収書　　　③申込書　　　4 参考書

18 この計算は（　　　）なので、コンピューターを使っても時間がかかる。

1 意外　　　　2 重大　　　　③複雑　　　　4 正常

19 このオレンジはアメリカ（　　　）です。

①産　　　　2 製　　　　3 作　　　　4 品

20 優勝した選手に（　　　）をして記事を書いた。

1 スピーチ　　　　　　　　②インタビュー

3 メッセージ　　　　　　　4 コミュニケーション

21 全員が自分の意見を（　　　）したので、会議がなかなか終わらなかった。

1 命令　　　　2 返信　　　　③主張　　　　4 注文

22 朝から何も飲んでいないので、のどが（　　　）です。

1 ぺらぺら　　②からから　　　3 ふらふら　　　4 ぺこぺこ

23 将来のために、お金を（　　　）います。

1 ためて　　　2 のせて　　　3 かさねて　　　4 くわえて

—

文字・語彙

問題4 ＿＿＿＿に意味が最も近いものを、1・2・3・4から一つえらびなさい。

24 わたしは妻と一緒に通勤しています。

1 仕事に行って　　　　　　　　2 勉強に行って

3 買い物に行って　　　　　　　4 散歩に行って

25 とてもおそろしい経験をした。

1 たのしい　　　2 うれしい　　　3 はずかしい　　④ こわい

26 先生にわけを話した。

1 アイディア　　2 ルール　　　③ 理由　　　　4 秘密

27 最近、この川は水がへった気がする。

1 多くなった　　　　　　　　　② 少なくなった

3 きれいになった　　　　　　　4 きたなくなった

28 実験がうまくいかなかったので、やりなおした。

1 やり方を調べた　　　　　　　2 やり方を教わった

③ もう一度やった　　　　　　　4 やるのを途中でやめた

問題 5　つぎのことばの使い方として最もよいものを、1・2・3・4から一つ

えらびなさい。

29 ころぶ

1　今日は疲れたので、早めにベッドにころんだ。

2　仕事が入ったので、旅行の計画がころんでしまった。

3　台風で庭の木がころんだ。

4　階段でころんでけがをした。

30 指示

1　「この書類、30部コピーしておいて」と秘書に指示した。

2　「この作文を見ていただけませんか」と先生に指示した。

3　「あした映画を見に行こうよ」と友達に指示した。

4　「トイレはどこにありますか」と店員に指示した。

31 見送る

1　毎日かならずメールを見送るようにしている。

2　何ページか見送ってみたが、むずかしくてわからなかった。

3　電車の窓から景色を見送るのが好きだ。

4　国に帰る友人を空港まで見送った。

32 植える

1　近所の公園にはいろいろな花が植えてある。

2　ケーキにいちごやクリームをたくさん植えた。

3　この空港は海に土を植えて作られた。

4　道に電灯を植えたので明るくなった。

33 正直

1　小川さんは正直な人で、決してうそは言いません。

2　この商品の正直な使い方をこれから説明します。

3　これは正直な話なのに、だれも信じてくれません。

4　正直な距離は分かりませんが、10キロぐらいだと思います。

N3

言語知識（文法）・読解

（70分）

注　意
Notes

1. 試験が始まるまで、この問題用紙を開けないでください。
   Do not open this question booklet until the test begins.

2. この問題用紙を持って帰ることはできません。
   Do not take this question booklet with you after the test.

3. 受験番号と名前を下の欄に、受験票と同じように書いてください。
   Write your examinee registration number and name clearly in each box below as written on your test voucher.

4. この問題用紙は、全部で19ページあります。
   This question booklet has 19 pages.

5. 問題には解答番号の [1]、[2]、[3] … が付いています。解答は、解答用紙にある同じ番号のところにマークしてください。
   One of the row numbers [1], [2], [3] … is given for each question. Mark your answer in the same row of the answer sheet.

受験番号　Examinee Registration Number	

名前　Name	

問題1 つぎの文の（　　　　）に入れるのに最もよいものを、1・2・3・4から
　　　　一つえらびなさい。

1 今度の試合に勝てる（　　　　）一生けんめいがんばります。

　1　ために　　　　　　2　ように　　　　　3　ことに　　　　　4　みたいに

2 今のわたしの安い給料では、何年働いても自分の家は（　　　　）そうもない。

　1　買い　　　　　　　2　買え　　　　　　3　買う　　　　　　4　買える

3 A「最近、山田さん元気ないね。」

　　B「うん。将来の（　　　　）悩んでるらしいよ。」

　1　ほうに　　　　　　2　場合に　　　　　3　ほかで　　　　　4　ことで

4 A「ねえ、（　　　）どんな人？」

　　B「とても親切でいい人だよ。」

　1　田中さんが　　2　田中さんで　　3　田中さんって　　4　田中さんでも

5 A「沖縄旅行はどうだった？」

　　B「海が青くて、料理もおいしくて、最高だったよ。」

　　A「いいなあ。わたしも（　　　　）一度行ってみたいなあ。」

　1　いつのまにか　2　いつ　　　　　3　いつでも　　　　4　いつか

6 （デパートでシャツを選びながら）

　　山田「明るい色のシャツが欲しいんだけど……。」

　　田中「だったら、これ（　　　　）どう？　山田さんにすごく似合うと思うよ。」

　1　なんか　　　　　　2　ばかり　　　　　3　へ　　　　　　　4　に

7 （スーパーで）

　　母親「今、お菓子を買った子がタケルくん？」

　　子ども「ちがうよ。あそこで泣いて、お菓子を（　　　　）子だよ。」

　1　欲しい　　　　　　　　　　　　2　欲しがっている

　3　欲しそうな　　　　　　　　　　4　欲しがってみる

8 学生「先生、ご相談したいことがあるのですが、授業の後、先生の研究室に（　　　）

よろしいでしょうか。」

先生「はい、いいですよ。」

1　来られても　　　　　　　　　　2　いらっしゃっても

3　うかがっても　　　　　　　　　④　行かれても

9 A「昨日からずっと頭が痛いんですが、どこかいい病院を知りませんか。」

B「そうですねえ、ＡＢＣ病院に行って（　　　）。」

①　みさせてください　　　　　　　2　みてもいいでしょうか

3　みさせてほしいのですが　　　　4　みたらどうでしょう

10 このお菓子は小麦粉と卵と砂糖（　　　）できています。バターや牛乳は使って

いません。

1　ほどが　　　　　2　ほどで　　　　　3　だけが　　　　④　だけで

11 （会社で）

A「すみません、山田さんはどこですか。」

B「山田さんは会議中ですが、会議は11時半（　　　）終わると思いますよ。」

①　までは　　　　　2　までには　　　　3　までも　　　　4　までにも

12 妹「今日は友だちと晩ご飯を食べてくるね。」

兄「わかった。9時過ぎる（　　　）、迎えに行くから、電話しろよ。」

①　らしいなら　　　2　らしいのに　　　3　ようなら　　　4　ようなのに

13 弟「お父さん、どこにいるか知らない？」

兄「さっき部屋にいたけど、忙しそうだったよ。」

弟「そうか。じゃあ今は（　　　）。進学のこと、相談したかったんだけど。」

1　話しかけないほうがよさそうだな

2　話しかけなくてもよさそうだな

③　話しかけないほうがいいそうだな

4　話しかけなくてもいいそうだな

問題2 つぎの文の ___★___ に入る最もよいものを、1・2・3・4から一つえらびなさい。

14　A「来週、試合 _____ _____ ___★___ _____ んですか。」

　　B「すみません。」

1　何をやっていた　　　　　2　練習に来ないで

3　なのに　　　　　　　　　4　ちっとも

15　あの美術館は曜日 _____ _____ ___★___ _____ 窓口で確認したほうがいいよ。

1　閉まる時間　　2　違うから　　3　によって　　4　が

16　自分で野菜を作ってみて、おいしい野菜を育てる _____ _____ ___★___ _____ わかりました。

1　ことが　　2　大変な　　3　ことか　　4　どんなに

17 A「今度のさよならパーティーで、みんなで歌う歌は、これでいいですか。」

B「すみません。この歌は好きなんですが、少しむずかしいです ＿＿＿ ＿＿＿

＿＿★＿ ＿＿＿ してほしいです。」

1 の　　　　　2 ほか　　　　　3 に　　　　　4 から

18 最近、子どもがピアノを習いたいと言いだした。わたしは、子どもが ＿＿＿

＿＿＿ ＿★＿ ＿＿＿ と思っている。

1 したい　　　2 やりたい　　　3 やらせて　　　4 と思うことは

文　法

問題3　つぎの文章を読んで、文章全体の内容を考えて、　19　から　23　の中に
　　　　入る最もよいものを、1・2・3・4から一つえらびなさい。

　下の文章は、3か月前に日本に来た留学生のダニエルさんが、「電車通学をして気が
ついたこと」について書いた作文である。

東京の電車

シュミット　ダニエル

　東京に来て、電車を使う人がとても多いのにびっくりしました。ラッシュアワーは、
駅も電車も本当に混雑しています。最初は、人が多くて大変なのに、なぜみんなが電車を
使おうとするのか不思議でした。しかし、東京に来て3か月たって、その理由が　19　。

　まず、東京には、10種類以上の電車が走っていて、電車の駅は600以上あります。
たくさん駅があるから、どこへでも行くことができます。　20　、電車が遅れることも
少ないし、あまり待たなくてもすぐに次の電車が来ます。実際に、わたしが使っている
電車は、ラッシュアワーには3分に1本来ます。　21　なら、みんなが使いたくなる気持ちも
わかります。

　しかし、今でもわからないことが一つあります。東京では電車が次々来るから、電車
の時間を気にして急ぐ必要はないはずです。ところが、駅の中や階段、ホームを、とても
急いで歩いている人が多いです。わたしは、これが　22　わかりません。日本に長く住ん
でいたら、わたしも同じように　23　。留学生活が終わるころには、答えがわかるのか
もしれません。

19

1　わかって　くるはずです　　　　2　わかって　いくそうです

③　わかって　きました　　　　　　4　わかって　いったようです

20

1　したがって　　2　つまり　　　3　たとえば　　　④　それから

21

1　ある電車　　　　　　　　　　　2　そこの電車

③　こういう電車　　　　　　　　　4　どちらかの電車

22

1　答えなのか　　②　なぜなのか　　3　理由なのか　　4　だれなのか

23

①　なるのでしょうか　　　　　　　2　なったでしょう

3　なってしまうのです　　　　　　4　なってしまいました

文法

問題4　つぎの(1)から(4)の文章を読んで、質問に答えなさい。答えは、1・2・3・4から
　　　　最もよいものを一つえらびなさい。

(1)

　中村さんの机の上に、先生からのメモが置いてある。

中村さん

おはようございます。

昨日プリンターが故障したので、川名電気に修理を頼みました。修理の人は、

10時に来てくれるそうです。わたしは授業があるので、修理の人が来たら、

プリンターの場所に案内をお願いします。

故障の内容ですが、印刷するときに紙にインクの汚れがついてしまいます。

実際に印刷した紙がプリンターのところに置いてありますから、それを修理の

人に見せて説明してください。

修理がすんだら、午後のゼミの資料を人数分用意しておいてください。

　　　　　　　　　　　　　　　　　　　　　　　　　　　　　　　　下田

24　修理の人が来たとき、中村さんがしなければならないことは何か。

1　教室へ下田先生を呼びに行く。

2　印刷した紙をプリンターのところに置く。

3　修理の人に故障の状態を説明する。

4　修理の人にゼミの資料を印刷してもらう。

(2)

これは、川島先生のゼミの学生に届いたメールである。

あ て 先 ： 2011kawashimazemi@groups.ac.jp

件 　 名 ： 川島先生のお別れ会について

送信日時 ： 2011年6月30日　16：20

川島先生のお別れ会について、詳しいことが決まりましたので、お知らせします。

7月8日（金）までに参加するかどうかを返信してください。

日 　 時 ： 　 8月10日（水）　午後7時〜9時

会 　 場 ： 　 レストラン「春」

会 　 費 ： 　 3,000円

記念品代： 　 500円（記念品としてネクタイを贈りたいと思います）

会費と記念品代は会場で集めます。

参加できない人は、記念品代だけを7月中に払ってください。

大田

---

25 このメールを見て、参加しない人は、どうしなければならないか。

1　返信の必要はないが、7月31日までに記念品代を払う。

2　返信の必要はないが、8月10日に記念品代を払う。

③　7月8日までに返信して、7月31日までに記念品代を払う。

4　7月8日までに返信して、8月10日に記念品代を払う。

(3)

　先週、うれしいことがあった。

　支店で難しい問題が発生し、広島に出張することになった。三日目にやっと解決でき、ほっとしてホテルに戻ったのだが、荷物を整理したとき、間違えて重要な書類を捨ててしまった。しかし、気がつかずにその日夜遅く東京に帰ってきた。翌朝気がついて、あわててホテルに電話をしたら、すぐに書類を見つけてくれた。そのホテルでは、客がチェックアウトしたあとも部屋のゴミはもう一泊させるのだそうだ。客のことをよく考えたサービスだと感心し、本当にうれしかった。

　（注）ほっとする：安心する

26　うれしいこととあるが、どのようなことか。

　1　会社の難しい問題がやっと解決できたこと

　2　ホテルの人が書類の整理をしてくれていたこと

　3　ホテルが書類を捨てずに残しておいてくれたこと

　4　同じ部屋にもう一晩泊まることができたこと

(4)

　子どものころのことを思い出してみてください。雲が動物の形に見えたり、壁^{かべ}のしみや汚れが顔に見えたりしたことはありませんか。また、雨や風の音を聞いて、音楽のようだと感じたことがある人もいるかもしれません。では、大人になった今はどうでしょう。多くの人が、大人になると、そのように感じる「子どもの心」をなくしてしまいます。「子どもの心」を持ち続け、それによって感じたものを音楽や絵で表すことのできる人が、芸術家^{げいじゅつ}なのではないでしょうか。

27　この文章を書いた人は、どんな人が芸術家^{げいじゅつ}だと考えているか。

　1　子どものころの経験を大人になっても思い出すことができる人

　2　子どものころの経験を大人になっても音楽や絵で伝えられる人

　3　大人になって「子どもの心」をほとんどなくしてしまった人

　4　大人になっても「子どもの心」で感じたものを音楽や絵で表せる人

問題5 つぎの(1)と(2)の文章を読んで、質問に答えなさい。答えは、1・2・3・4から
最もよいものを一つえらびなさい。

(1)

　わたしは、家の近くを毎日散歩していますが、今日はいつもと違う道を歩いてみました。
ぶらぶら歩いていると、どこからか花のいいにおいがしてきました。知っている香りなの
に、それがどんな花なのか思い出せませんでした。でも、そのとき自然に、昔住んでいた
家のことを思い出しました。

　①それは、田舎の、広い庭がある家でした。祖父と祖母も一緒に住んでいて、にぎやかな
毎日でした。隣の家の明子ちゃんという女の子と、家の裏にある山に行ったり、近くの
川に行ったりして、よく一緒に遊びました。②なつかしい思い出です。

　どうしてあの時、昔住んでいた家のことを思い出したのか、わたしは不思議でした。家
に帰ってから、昔の写真や祖父、祖母の写真を見ながら、しばらく考えました。そして、
昔住んでいた家の庭には、春になると、白くて小さな、かわいい花がたくさん咲いていた
ことを思い出しました。その花は、今日道を歩いていたときの、あの花と同じ香りだった
のです。

28 ①それとあるが、何のことか。
1 散歩の途中で見た、花が咲いている家
2 昔住んでいた家によく似ている家
③ 子どものころ、自分が住んでいた家
4 昔一緒によく遊んだ明子ちゃんの家

29 ②なつかしい思い出とあるが、例えばどんな思い出だと言っているか。
1 隣の家の広い庭によく行った。
2 祖父と祖母がよく遊びに来た。
3 庭で明子ちゃんと花を見た。
4 友達と一緒に山や川で遊んだ。

30 この文章を書いた人は、散歩のときに昔住んでいた家のことを思い出したのはなぜだ

と考えているか。

1 昔住んでいた家の庭に咲いていたのと同じ花の香りがしたから

2 昔住んでいた家の庭に咲いていたのと同じ白い花を見たから

3 昔住んでいた家の近くの道に咲いていたのと同じ花の香りがしたから

4 昔住んでいた家の近くの道に咲いていたのと同じ白い花を見たから

（2）

　日本では、1960年ごろから町に道路やビルが次々につくられ、公園や空き地が少しずつ削（けず）られてきた。このような町の変化によって、屋外で子どもの遊ぶ場所が減少した。そして、子どもの遊び方も変化してきた。昔は子どもは外で遊ぶことが多かったが、今は一人で、室内でテレビを見たり、ゲームをしたりすることが多い。

　<u>このこと</u>は、二つの点で子どもたちに重大な影響（えいきょう）を与（あた）えた。一つ目は「体力」への影響（えいきょう）である。子どもの体力と運動に関する調査では、走る、跳ぶ、投げるなどの基礎（きそ）的な体力は昔より落ちている。外で体を動かして遊ぶ機会が減ったことが、最大の原因だと考えられている。

　二つ目は「付き合い方」への影響（えいきょう）である。昔は、近所の子どもが一緒（いっしょ）に外で遊び、年齢や個人による違いを受け入れて、付き合い方を学習した。しかし、今は部屋（へや）で一人で過ごす時間が長くなり、人間関係がうまく作れない子どもが増えてしまった。

　これからも日本の町は発展（はってん）していくだろうが、それが子どもに与（あた）える影響（えいきょう）も忘れてはいけない。

（注）空き地：建物が建っていない、使われていない土地

31　<u>このこと</u>は、何を指しているか。

1　町の中に公園や子どもの遊ぶ場所が増えてきたこと

2　昔は子どもが家の外で遊ぶことが多かったこと

③　子どもが一人で家の中で遊ぶようになったこと

4　以前に比べて子どもの体力がなくなってきたこと

32　この文章では、子どもに見られる変化には、例えばどんなものがあると言っているか。

1　外で一人で遊ぶ時間が少なくなって、体力が落ちている。

②　体を動かさないで遊ぶことが増えて、体力が落ちている。

3　友達との遊びの中で、よい付き合い方が学習できるようになった。

4　テレビやゲームから、よい付き合い方が学習できるようになった。

読解

33 この文章で一番言いたいことは何か。

1 町の発展が、子どもに悪い影響を与えていることに注意しなくてはいけない。

2 町が発展しない場合、子どもにも悪い影響が出ることを忘れてはいけない。

3 子どもに悪い影響が出ているので、町を発展する前の状態に戻したほうがいい。

4 子どもに悪い影響を与えてしまうことはあるが、町は発展したほうがいい。

読解

問題6 つぎの文章を読んで、質問に答えなさい。答えは、1・2・3・4から最も
よいものを一つえらびなさい。

　現在、日本で農業をしている人は、約200万人。40年前に比べると、その数は3分の
1以下に減っている。そして、農業をしている人の60％以上は65歳以上のお年寄りだ。
①この状態を変えようと、最近いろいろな農業のやり方が考えられているそうだ。

　その一つは、これまでのように家族で農業をするのではなく、多くの人が働く「会社」
の形で農業をするというものだ。このような会社の一つに「あおぞら」がある。「あおぞ
ら」では今までにないいくつかの②工夫によって、若者も働きやすい環境を作っている。

　第一の工夫は「決まった給料を払うこと」。農業は自然が相手なので、どうしても収入
が多い時と少ない時が出てしまう。しかし、一年中いろいろな種類の野菜を作ることで、
一つがだめでも他の野菜でカバーできるようにし、毎月同じ給料が払えるようにする。

　第二の工夫は「休めるようにすること」。社員はみんな違う日に休みを取る。社員が大勢
いるので、それぞれが順番に休みを取るようにすれば、それほど多くはないが、みんなが
きちんと休めるのだ。

　第三の工夫は「農業を教えること」。土に触ったことが全然ないような人には、経験者
が農業を一からきちんと教える。

　このような工夫は若者にも伝わり、「あおぞら」には毎年③農業にチャレンジしたいと
いう若者が大勢入ってきて、経営もうまくいっているそうだ。

　そして、それは新しい農業の形として期待されている。

34 ①この状態とあるが、何か。

① 農業をする人が大きく減って、半分以上がお年寄りになったこと

2　農業をする人が大きく減って、半分以上が若者になったこと

3　農業をする人が少し減って、お年寄りの割合が増えていること

4　農業をする人が少し減って、若者の割合が増えていること

35 ②いくつかの工夫とあるが、例えばどんな工夫か。

1　多い月や少ない月があるが、毎月給料が払えるようにする。

2　一年中、一種類の野菜を作り続けるようにする。

3　社員みんなが、土曜日と日曜日に休めるようにする。

④　経験がない人には、農業（のうぎょう）の基礎（きそ）から教えるようにする。

36 ③「あおぞら」には毎年農業（のうぎょう）にチャレンジしたいという若者が大勢（おおぜい）入ってきてとあるが、それはどうしてだと言っているか。

1　「あおぞら」では、休みをたくさん取ることができるから

2　「あおぞら」では、会社経営の方法を教えてもらえるから

3　「あおぞら」は、昔からの農業（のうぎょう）のやり方を守っているから

④　「あおぞら」は、仕事がしやすい環境（かんきょう）を作っているから

37 この文章全体のテーマは、何か。

1　お年寄り（としより）と農業（のうぎょう）

2　これからの農業（のうぎょう）

3　家族で行う農業（のうぎょう）

4　経験者に教わる農業（のうぎょう）

読解

問題7 右のページは、「ＸＹＺ旅行社２月の旅行」の案内である。これを読んで、下の
質問に答えなさい。答えは、１・２・３・４から最もよいものを一つえらびなさい。

38 リンさんは、スキーをしたいと思っている。スキー用具を持っていないので、
無料で用具を借りられる旅行がいい。また、ぜひ温泉旅館に泊まりたいと思っている。
リンさんの希望（きぼう）に合うのは、どの旅行か。

1 ①
2 ②
3 ③
4 ④

39 キムさんは、「みんなで沖縄（おきなわ）４日間」の２月25日出発の旅行に参加する。料金を
旅行社で支払う場合、いつまでに払わなければならないか。

1 ２月18日
2 ２月20日
3 ２月22日
4 ２月25日

XYZ旅行社　2月の旅行（東京出発）案内

1．スキー旅行他

	旅行名	出発日	料金(円)	
①	飛行機で行く 北海道スキーの旅 4日間	4日、18日、 25日（金）	42,000	・温泉旅館に泊まります ・スキー用具の貸出は有料です
②	新幹線で行く 丸山スキー場 4日間	4日、18日、 25日（金）	28,000	・お泊まりは温泉旅館です ・スキー用具が無料で借りられます
③	バス旅行 花見山スキー場 3日間	4日、18日、 25日（金）	21,000	・金曜の夜出発。ビジネスホテル利用 ・スキー用具が無料で借りられます
④	バス旅行 河口湖 スケートの一日	6日、20日、 27日（日）	9,800	・大型バスでの日帰り旅行 ・ホテルのランチと温泉が楽しめます

2．沖縄旅行

	旅行名	出発日	料金(円)	
⑤	ゆっくり沖縄 3日間	5日、19日、 26日（土）	29,000	・夕食は沖縄料理のバイキングです ・レンタカーが無料です
⑥	みんなで沖縄 4日間	4日、18日、 25日（金）	48,000	・ホテルには屋内プールがあります ・レンタカーが無料です

（このほかにも、お楽しみいただける旅行を多数ご用意しております。）

・お申し込みは旅行社窓口、電話、メールで、出発日の1週間前までにお願いします。

・料金のお支払いは、銀行またはコンビニの場合、出発の5日前までにお願いします。
　旅行社で直接お支払いされる場合、出発の3日前までにお願いします。

・お申し込みのキャンセルには、キャンセル料がかかります。

読
解

N3

ちょうかい
聴解

(40分)

注　意
Notes

1. 試験が始まるまで、この問題用紙を開けないでください。
   Do not open this question booklet until the test begins.

2. この問題用紙を持って帰ることはできません。
   Do not take this question booklet with you after the test.

3. 受験番号と名前を下の欄に、受験票と同じように書いて
   ください。
   Write your examinee registration number and name clearly in each box below as written on your test voucher.

4. この問題用紙は、全部で13ページあります。
   This question booklet has 13 pages.

5. この問題用紙にメモをとってもいいです。
   You may make notes in this question booklet.

受験番号　Examinee Registration Number	

名前　Name	

問題1
もんだい

問題1では、まず質問を聞いてください。それから話を聞いて、問題用紙の1から4の中から、最もよいものを一つえらんでください。

れい

1) 8時45分

2　9時

3　9時15分

4　9時30分

1ばん

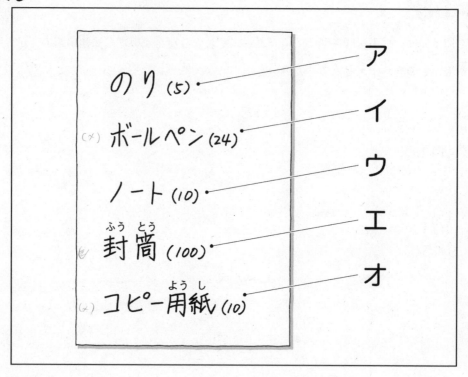

のり (5)・ ——————————————— ア

(×) ボールペン (24)・ ——————————————— イ

ノート (10)・ ——————————————— ウ

封筒 (100)・ ——————————————— エ

(×) コピー用紙 (10)・ ——————————————— オ

聴解

1　ア　イ　ウ
② ア　ウ　エ
3　ア　ウ　オ
4　ア　エ　オ

2ばん

1　赤ちゃんのふく
2　赤ちゃんのおもちゃ
3　友だちのふく
④ 友だちのバッグ

3 ばん

1. 友だちにれんらくする
2. レストランをよやくする
3. 旅行の計画を立てる
4. ひこうきをよやくする

ごはん → てんは
→ よやく

4 ばん

1. 映画を見る
2. にもつを出す
3. 本屋に行く
4. ご飯を食べる

子：任つ
えいが

5ばん

1 かさを用意する

2 リビングのエアコンをけす

③ 台所の電気をけす

4 台所のまどを閉める

りゅうがく生

かさ（×）

でんき

6ばん

1 アンケートをとる

② 行く場所をさがす

3 何をするか決める

4 食事する店を決める

会社

女：りょこう

ばしょう

受付

internet

もんだい
問題2

問題2では、まず質問を聞いてください。そのあと、問題用紙を見てください。読む時間があります。それから話を聞いて、問題用紙の1から4の中から、最もよいものを一つえらんでください。

れい

1 いそがしくて　時間が　ないから

2 料理が　にがてだから

3 ざいりょうが　あまってしまうから

4 いっしょに　食べる人が　いないから

1ばん

1 来週の月曜日
2 来週の火曜日
③ 来週の水曜日
4 来週の木曜日

聴解

2ばん

① いろいろな国の料理が作れるから
2 へいじつに教室があるから (?)
3 一人で作れるから
4 料金が安いから

3ばん

1 朝早い仕事だったから

2 じきゅうが安かったから

3 物を作る仕事がしたかったから

④ ほかの仕事も経験したかったから

4ばん

1 インターネットを使うこと

② メールをすること

3 プリンターを使うこと

4 DVDを見ること

5ばん

1 もうしこみの　しめきりが　すぎたから

2 2回目のさんかだから

3 1か月後に帰国するから

4 来日して半年以上になるから

6ばん

1 新しい店ではたらけること

2 車を使って仕事ができること

3 しょうひんがたくさん売れること

4 村の人がよろこんでくれること

もんだい
問題3

問題3では、問題用紙に何もいんさつされていません。この問題は、ぜんたいとしてどんなないようかを聞く問題です。話の前に質問はありません。まず話を聞いてください。それから、質問とせんたくしを聞いて、1から4の中から、最もよいものを一つえらんでください。

－ メモ －

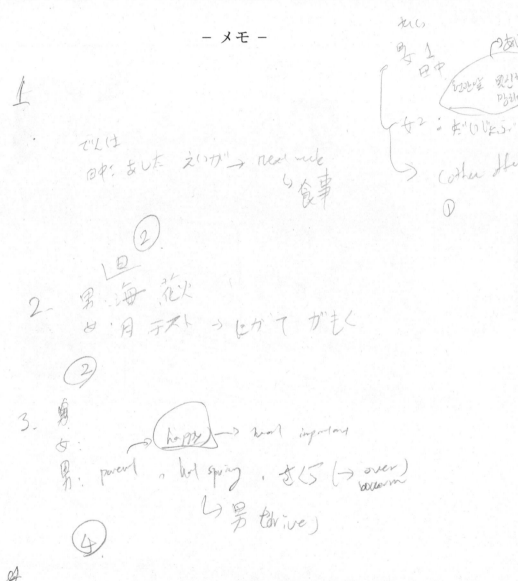

もんだい
問題4

問題4では、えを見ながら質問を聞いてください。やじるし（➡）の人は何と言いますか。
1から3の中から、最もよいものを一つえらんでください。

れい

1ばん

2ばん

3 ばん

4 ばん

もんだい
問題 5

　問題 5 では、問題用紙に何もいんさつされていません。まず文を聞いてください。それから、そのへんじを聞いて、1 から 3 の中から、最もよいものを一つえらんでください。

－ メ モ －

れい ②

1　③

2　①

3　③

4　②（③）

5　②

6　①

7　③

8　②

9

にほんごのうりょくしけん かいとうようし

N3
げんごちしき (もじ・ごい)

じゅけんばんごう
Examinee Registration
Number

なまえ
Name

〈ちゅうい Notes〉
1. くろい えんぴつ (HB、No.2) で かいて ください。
   (ペンや ボールペンでは かかないで ください。)
   Use a black medium soft (HB or No.2) pencil.
   (Do not use any kind of pen.)
2. かきなおす ときは、けしゴムで きれいに けして
   ください。
   Erase any unintended marks completely.
3. きたなく したり、おったり しないで ください。
   Do not soil or bend this sheet.
4. マークれい Marking examples

よい れい Correct Example	わるい れい Incorrect Examples
●	⊘ ⊖ ○ ◐ ◑ ⦿

問題 1

	1	2	3	4
1	①	②	③	④
2	①	②	③	④
3	①	②	③	④
4	①	②	③	④
5	①	②	③	④
6	①	②	③	④
7	①	②	③	④
8	①	②	③	④

問題 2

	1	2	3	4
9	①	②	③	④
10	①	②	③	④
11	①	②	③	④
12	①	②	③	④
13	①	②	③	④
14	①	②	③	④

問題 3

	1	2	3	4
15	①	②	③	④
16	①	②	③	④
17	①	②	③	④
18	①	②	③	④
19	①	②	③	④
20	①	②	③	④
21	①	②	③	④
22	①	②	③	④
23	①	②	③	④

問題 4

	1	2	3	4
24	①	②	③	④
25	①	②	③	④
26	①	②	③	④
27	①	②	③	④
28	①	②	③	④

問題 5

	1	2	3	4
29	①	②	③	④
30	①	②	③	④
31	①	②	③	④
32	①	②	③	④
33	①	②	③	④

N3

にほんごのうりょくしけん かいとうようし

げんごちしき（ぶんぽう）・どっかい

じゅけんばんごう
Examinee Registration Number

なまえ
Name

問題 1

	①	②	③	④
1	①	②	③	④
2	①	②	③	④
3	①	②	③	④
4	①	②	③	④
5	①	②	③	④
6	①	②	③	④
7	①	②	③	④
8	①	②	③	④
9	①	②	③	④
10	①	②	③	④
11	①	②	③	④
12	①	②	③	④
13	①	②	③	④

問題 2

	①	②	③	④
14	①	②	③	④
15	①	②	③	④
16	①	②	③	④
17	①	②	③	④
18	①	②	③	④

問題 3

	①	②	③	④
19	①	②	③	④
20	①	②	③	④
21	①	②	③	④
22	①	②	③	④
23	①	②	③	④

問題 4

	①	②	③	④
24	①	②	③	④
25	①	②	③	④
26	①	②	③	④
27	①	②	③	④

問題 5

	①	②	③	④
28	①	②	③	④
29	①	②	③	④
30	①	②	③	④
31	①	②	③	④
32	①	②	③	④
33	①	②	③	④

問題 6

	①	②	③	④
34	①	②	③	④
35	①	②	③	④
36	①	②	③	④
37	①	②	③	④

問題 7

	①	②	③	④
38	①	②	③	④
39	①	②	③	④

にほんごのうりょくしけん かいとうようし

N3
ちょうかい

じゅけんばんごう
Examinee Registration
Number

なまえ
Name

〈ちゅうい Notes〉
1. くろい えんぴつ (HB、No.2) で かいて ください。
（ペンや ボールペンでは かかないで ください。）
Use a black medium soft (HB or No.2) pencil.
(Do not use any kind of pen.)
2. かきなおす ときは、けしゴムで きれいに けして ください。
Erase any unintended marks completely.
3. きたなく したり、おったり しないで ください。
Do not soil or bend this sheet.
4. マークれい Marking examples

よい れい Correct Example	わるい れい Incorrect Examples
●	⊘ ◌ ⊗ ◍ ◐ ⊙

もんだい 問題 1

れい	①	②	③	④
1	①	②	③	④
2	①	②	③	④
3	①	②	③	④
4	①	②	③	④
5	①	②	③	④
6	①	②	③	④

もんだい 問題 2

れい	①	●	③	④
1	①	②	③	④
2	①	②	③	④
3	①	②	③	④
4	①	②	③	④
5	①	②	③	④
6	①	②	③	④

もんだい 問題 3

れい	●	②	③	④
1	①	②	③	④
2	①	②	③	④
3	①	②	③	④

もんだい 問題 4

れい	●	②	③
1	①	②	③
2	①	②	③
3	①	②	③
4	①	②	③

もんだい 問題 5

れい	●	②	③
1	①	②	③
2	①	②	③
3	①	②	③
4	①	②	③
5	①	②	③
6	①	②	③
7	①	②	③
8	①	②	③

2

正答表と聴解スクリプト
せいとうひょう　　ちょうかい

せいとうひょう
正答表

●言語知識（文字・語彙）

問題1

1	2	3	4	5	6	7	8
3	2	2	3	1	4	2	4

問題2

9	10	11	12	13	14
3	4	1	2	2	3

問題3

15	16	17	18	19	20	21	22	23
2	4	3	3	1	2	3	2	1

問題4

24	25	26	27	28
1	4	3	2	3

問題5

29	30	31	32	33
4	1	4	1	1

●言語知識（文法）・読解

問題1

1	2	3	4	5	6	7	8	9	10
2	2	4	3	4	1	2	3	4	4

11	12	13
2	3	1

問題2

14	15	16	17	18
2	4	2	1	3

問題3

19	20	21	22	23
3	4	3	2	1

問題4

24	25	26	27
3	3	3	4

問題5

28	29	30	31	32	33
3	4	1	3	2	1

問題6

34	35	36	37
1	4	4	2

問題7

38	39
2	3

● 聴解

問題1

例	1	2	3	4	5	6
1	2	4	1	2	3	2

問題2

例	1	2	3	4	5	6
4	3	1	4	2	4	4

問題3

例	1	2	3
1	2	2	4

問題4

例	1	2	3	4
1	2	3	2	1

問題5

例	1	2	3	4	5	6	7	8
2	3	1	3	2	2	1	3	2

$$\boxed{\text{聴解スクリプト}}$$

（M：男性　F：女性）

問題1

例

ホテルで会社員の男の人と女の人が話しています。女の人は明日何時までにホテルを出ますか。

M：では、明日は、9時半に事務所にいらしてください。

F：はい、ええと、このホテルから事務所まで、タクシーでどのぐらいかかりますか。

M：そうですね、30分もあれば着きますね。

F：じゃあ、9時に出ればいいですね。

M：あ、朝は道が混むかもしれません。15分ぐらい早めに出られたほうがいいですね。

F：そうですか。じゃあ、そうします。

女の人は明日何時までにホテルを出ますか。

1番

会社で男の人と女の人がメモを見ながら話しています。男の人は何を注文しますか。

M：必要な文房具、書き出してみたんですけど、見てもらえますか。

F：うん。ええと、のりとボールペン。あ、ボールペンはいいわ。もう私の方で注文して、今日
　　届くことになってるから。

M：はい。

F：それから、ノートと封筒、あれ、封筒はまだけっこう残ってたようだけど。

M：まだあるんですが、今日の午後大量に使うので、注文しといたほうがいいと思ったんですけど。

F：じゃあ、必要ね。それから、コピー用紙はね、毎月届けてもらってるから、注文しなくていいのよ。

M：はい。

F：じゃあ、これで注文よろしくね。

M：はい、分かりました。

男の人は何を注文しますか。

2番

女の人と母親が話しています。女の人は友達に何をプレゼントしますか。

F1：お母さん、友達に赤ちゃんが生まれたんだけど、お祝い何がいいと思う？

F2：そうね。よく贈るのは、着るものとか、おもちゃだけどね。

F1：そうだよね。私も服がいいなって思うんだけど。

F2：ただ、みんな赤ちゃんの服やおもちゃをあげるでしょう。だから、友達に使ってもらえるものをあげるのもいいんじゃない？

F1：えっ。服とか？

F2：服もいいけど、赤ちゃんが生まれると、着替えとかタオルとかいろいろ持ち歩くものが多くなるでしょ。だから、たくさん入るバッグなんかどう？あなたが生まれたとき、もらってうれしかったわ。

F1：そっか。じゃあ、私もそうしよう。

女の人は友達に何をプレゼントしますか。

3番

友達から留守番電話にメッセージが入っていました。このメッセージを聞いたあと、まず何をしますか。

F：もしもし、まさ子です。急なんだけど、明日の夜、ご飯一緒にどう？駅の近くにおいしいお店を見つけたから、そこで。そのお店、けっこう混むから予約したいし。来られるかどうか、なるべく早く教えてくれる？できたら、ご飯食べながら今度一緒に行く旅行の計画立てない？飛行機の予約は早いほうがいいしね。じゃあね。

このメッセージを聞いたあと、まず何をしますか。

4番

母親と息子が話しています。息子はこのあと、まず何をしますか。

F：あ、太郎、今から出かけるの？

M：うん。駅前の映画館で友達と映画見てくる。

F：あ、そう。それなら、駅前の郵便局に寄って、この荷物、出してってくれない？

M：えー。ちょっと本屋に寄ろうと思ってたのにな。まあ、映画のあとにするか。じゃあ、出して

きてあげるよ。

F：ありがとう。急ぎだから、映画の前に行ってね。はい、お金。

M：え、こんなにかかるの？

F：余った分は、ご飯代にでも使いなさい。

M：やった。

息子はこのあと、まず何をしますか。

5番

家の玄関で男の留学生とホストファミリーのお母さんが話しています。留学生はこれから何をしますか。

M：雨降りそうですね。傘、持ってったほうがいいですか。

F：今日は天気がよくなるって言ってたから、大丈夫よ。

M：はい。

F：あれ？リビングのエアコンは消したよね。

M：ええ、消してありました。

F：ああ、そう。あっ、いけない。台所の電気、つけたままだった。ごめんね、ちょっと消してきてくれる？

M：はい。

F：台所の小さい窓は開いてるけど、閉めなくていいわよ。

M：分かりました。

留学生はこれから何をしますか。

6番

会社で男の人と女の人が話しています。女の人はこれから、まず何をしますか。

M：鈴木さん、今年の新入社員歓迎会のことなんだけどね。今年は週末に日帰りで、どこかに行くのはどうだろう。

F：日帰り旅行ですか。いいかもしれませんね。

M：じゃ、今年はそういうことで、準備してくれる？まずは、どこへ行きたいか、みんなに聞いてみて。

F：そうですね。アンケートでもとりましょうか。

M：あ、いや、やっぱり、そんな時間もないし。鈴木さんがよさそうな場所を決めてください。インターネットとかで探してくれる？

F：はい。

M：で、そこで何をするかだな。食事しただけで終わるのは、ちょっとな。

F：そうですね。

M：ま、それは場所が決まってから、考えよう。調べたら、教えてくれる？

F：分かりました。

女の人はこれから、まず何をしますか。

問題2

例

女の人と男の人がスーパーで話しています。男の人はどうして自分で料理をしませんか。

F：あら、田中君、お買い物？

M：うん、夕飯を買いにね。

F：お弁当？自分で作らないの？時間ないか。

M：いや、そうじゃないんだ。

F：じゃあ、作ればいいのに。

M：作るのは嫌いじゃないんだ。でも、一人だと。

F：材料が余っちゃう？

M：それはいいんだけど、一生懸命作っても一人で食べるだけじゃ、なんか寂しくて。

F：それもそうか。

男の人はどうして自分で料理をしませんか。

1番

会社で女の人と男の人が話しています。二人はいつ相談しますか。

F：あのう、新しい商品について相談したいんですが、いつにしましょうか。

M：あ、そうですね。

F：今日が金曜日でしょ？今日はもうあまり時間がないから、じゃあ、来週の月曜日はどうですか。

M：あ、来週の月曜日と火曜日は出張なんです。木曜日なら、時間、とれますけど。

F：そう、木曜日は私がちょっと忙しいんで。あのう、出張から帰った次の日って、忙しいですか。

M：うーん、あ、はい、大丈夫です。じゃあ、その日にしましょう。午後、時間空けておきます。

二人はいつ相談しますか。

2番

女の人と男の人が料理教室について話しています。女の人はどうしてこの教室に興味を持ちましたか。

F：佐藤さん、料理教室に行ってるそうですね。楽しいですか。

M：ええ。いろんな国の料理を作るんですよ。

F：へえ、面白そう。私、日本料理は習ったことがあるので、他の国の料理を作ってみたいと思っていたんです。あの、その教室は、いつ、やってるんですか。

M：月に1回、最初の土曜日の午後です。先生の話を聞いたあと、小さなグループに分かれて料理を作ります。

F：そうですか。

M：料金はちょっと高いんですが、人気があるんですよ。あの、よかったら連絡先を教えましょうか。

F：あ、ありがとうございます。

女の人はどうしてこの教室に興味を持ちましたか。

3番

女の学生と男の学生が話しています。男の学生はどうしてアルバイトを変えましたか。

F：今からアルバイト？

M：うん、実は、今日からコンビニでアルバイトすることにしたんだ。

F：え？自動車工場のアルバイトは？朝早くからだったし、大変だったの？

M：いや、早起きは平気なんだ。それに、時給もまあまあよかったし。

F：じゃあ、何で？

M：うーん、ものを作る仕事も楽しかったけど、学生のうちに、いろいろな仕事をやってみたくてね。

F：そっか。頑張って。

男の学生はどうしてアルバイトを変えましたか。

4番

図書館で男の学生と係りの人が話しています。図書館のパソコンコーナーで何をしてはいけませんか。

M：すみません。パソコンを使いたいんですが。

F：はい、どうぞ。

M：あのう、インターネットは使えますか。

F：ええ、利用できます。でも、メールはご遠慮ください。

M：分かりました。あと、プリンターは。

F：あ、プリンターはお使いになれますが、有料です。

M：あ、そうですか。それから、DVDは見られますか。

F：はい、大丈夫ですよ。

図書館のパソコンコーナーで何をしてはいけませんか。

5番

大学で男の留学生が係りの人にホームステイについて聞いています。男の留学生はどうしてホームステイに参加できませんか。

M：すみません、このホームステイに申し込みをしたいんですが。締め切りまだですよね？

F：はい、まだ間に合いますよ。参加は初めてですか。

M：いえ、2回目です。2回目でも大丈夫ですか。

F：はい、大丈夫です。えー、日本に来てどのぐらいになりますか。

M：10か月を過ぎたところです。あと、1か月で帰国する予定です。

F：そうですか。んー、実は、このホームステイは、来日してから半年以内の留学生しか申し込みができないことになっているんですよ。

M：え、そうなんですか。

男の留学生はどうしてホームステイに参加できませんか。

6番

テレビで男の人が自分の仕事について話しています。男の人は何がうれしいと言っていますか。

M：私は新しく町にできたスーパーの社員です。でも、店の中では働いていません。毎日、車で、新鮮な肉や魚など、店の商品を、遠くの村まで売りに行っています。一日に五つぐらいの村に行きます。お客さんは、多い日も少ない日もありますが、私の車が来るのを楽しみに待っていてくださいます。皆さんに喜んでもらえるのが、やっぱり、私には一番うれしいです。

男の人は何がうれしいと言っていますか。

問題3

例

女の人が友達の家に来て話しています。

F1：田中です。

F2：あ、はあい。昨日友達が泊まりに来てたんで、片付いてないけど、入って。

F1：あ、でもここで。すぐ帰るから。あのう、この前借りた本なんだけど、ちょっと破れちゃって。

F2：え、本当？

F1：うん、このページなんだけど。

F2：あっ、うん、このくらいなら大丈夫、読めるし。

F1：ほんと？ごめん。これからは気をつけるから。

F2：うん、いいよ。ねえ、入ってコーヒーでも飲んでいかない？

F1：ありがとう。

女の人は友達の家へ何をしに来ましたか。

1. 謝りに来た
2. 本を借りに来た
3. 泊まりに来た
4. コーヒーを飲みに来た

1番

留守番電話のメッセージを聞いています。

M：もしもし、田中ですけど。あのう、明日映画に行くことになってたよね。でも、急に出張

が入っちゃって。それで、悪いんだけど、来週にしてもらってもいいかな。僕から誘ったの
にごめん。映画のあと、食事ごちそうするから。じゃ、また電話するよ。ほんと、ごめんね。

田中さんが一番言いたいことは何ですか。

1．出張に行くこと
2．映画に行く日を変えてほしいこと
3．食事をごちそうすること
4．また電話すること

2番

男の学生と女の学生が話しています。

M：今度の日曜日、みんなで海に行こうって話があるんだけど。
F：海？いいね。楽しそう。
M：うん。海で花火もするよ。どう？来られそう？
F：面白そう。でも、今度の日曜日だよね。月曜にテストがあるんだ。テストがなかったら行きた
いんだけど。
M：土曜日に頑張ったら大丈夫だよ。
F：うーん。苦手な科目だから一日じゃきついかも。また今度誘って。

女の学生は日曜日に海へ行くことについてどう思っていますか。

1．楽しそうだから、行くつもりだ
2．楽しそうだが、行かない
3．興味がないから、行かない
4．興味はないが、行くつもりだ

3番

女の人が男の人に旅行の感想を聞いています。

F：週末、旅行に行ってきたんだって？
M：両親を温泉に連れて行ったんだ。桜のきれいな季節だしね。
F：偉いね。ご両親も喜んだでしょう。
M：うん。でも、向こうはもう暖かくて、桜はほとんど終わってたし、休日だから渋滞してて。
F：そっか。

M：温泉に入れば疲れが取れると思ってたんだけど、僕はずっと運転だったからね。

F：ふうん、大変だったね。

M：でもまあ、両親は久しぶりにゆっくりできてよかったって言ってくれたから。

F：じゃ、それが一番じゃない。

M：まあね。

男の人は旅行についてどう思っていますか。

  1．桜がきれいで、よかった

  2．温泉で疲れが取れて、よかった

  3．両親が疲れたので、よくなかった

  4．両親が満足して、よかった

問題4

例

ホテルのテレビが壊れています。何と言いますか。

F：1．テレビがつかないんですが。

   2．テレビをつけてもいいですか。

   3．テレビをつけたほうがいいですよ。

1番

先輩が忙しそうなので、手伝いたいです。先輩に何と言いますか。

F：1．あの、手伝ってくれませんか。

   2．あの、手伝いましょうか。

   3．あの、手伝いませんか。

2番

試験に合格したので、先生に伝えたいです。先生に何と言いますか。

M：1．今回はおめでとうございます。

   2．今度、合格なさいました。

3．おかげさまで、試験に受かりました。

3番

友達と食事をしています。しょうゆを使いたいです。友達に何と言いますか。

F：1．しょうゆ、取ろうか。

2．しょうゆ、取ってくれない？

3．しょうゆ、取ってもいいよ。

4番

会社でお客さんを部屋に案内しました。何と言いますか。

M：1．どうぞおかけください。

2．座らせていただきます。

3．席をお取りしましょうか。

問題5

例

M：すみません、今、時間、ありますか。

F：1．ええと、10時20分です。

2．ええ。何ですか。

3．時計はあそこですよ。

1番

M：リンさん、明日のアルバイト、3時に来てほしいんですが。

F：1．いつでも来てください。

2．都合はどうですか。

3．はい、大丈夫です。

2番

F：田中さん、明日の旅行は8時出発ですよ。遅れないようにね。

M：1．気をつけます。

　　2．そうしてください。

　　3．よく気がつきます。

3番

F：あれ、雨ですか。そんなに濡れちゃって。

M：1．じゃあ、傘はいりませんね。

　　2．いつ降るんでしょう。

　　3．急に降ってきたんです。

4番

F：暑いので、ちょっと窓を開けてもよろしいでしょうか。

M：1．じゃあ、閉めましょう。

　　2．ええ、かまいませんよ。

　　3．いえ、どういたしまして。

5番

F：お客様、こちらで召し上がりますか、お持ち帰りになりますか。

M：1．はい、大丈夫です。

　　2．ここで食べます。

　　3．いいえ、持ちますよ。

6番

M：バス、なかなか来ないですね。

F：1．道が混んでるんでしょうか。

　　2．バスにしてよかったですね。

　　3．随分早そうですね。

7番

M：あの映画、もうやってないんだって。

F：1．じゃ、明日見に行こうよ。

　　2．うん、まだやってないみたい。

　　3．えっ、終わっちゃったんだ。

8番

M：このプリント、クラスのみんなに配っといてもらえますか。

F：1．あっ、取ってあります。

　　2．はい、やっておきます。

　　3．すぐもらえると思います。

3

日本語能力試験の概要

① 日本語能力試験について

　日本語能力試験は、日本語を母語としない人の日本語能力を測定し認定する試験として、国際交流基金と日本国際教育支援協会が 1984 年に開始しました。

　試験は日本国内そして世界各地で、1 年に 2 回、一斉に実施しています。2011 年は、海外では 61 の国・地域の 198 都市、日本では 40 都道府県で実施しました。試験会場は毎年増えています。

日本語能力試験の実施都市（2011 年）

日本 40 都道府県
韓国 25 都市
世界 62 の国・地域
238 都市

　国際交流基金が 3 年ごとに実施している「海外日本語教育機関調査」によると、海外の日本語学習者数は、1979 年には約 12 万 7 千人でしたが、2009 年には約 365 万人になりました。国内の日本語学習者数も、2009 年度には過去最高の約 17 万 1 千人[1]になりました。日本語学習者数が増えると共に、日本語能力試験の受験者数も増え、2011 年には全世界で約 61 万人が受験しました。日本語能力試験は、日本語の試験の中では世界最大規模の試験です。

日本語能力試験の受験者数と実施都市数（国内海外合計）[2]

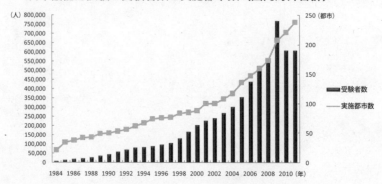

■ 受験者数
― 実施都市数

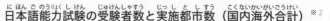

※ 1　文化庁「平成 21 年度国内の日本語教育の概要」より。

※ 2　2009 年は、試験を 1 年に 2 回実施した最初の年であり、また、試験改定前の最後の年にもあたり、過去最高の約 77 万人が受験しました。

　近年、日本語能力試験の受験者層は小学生から社会人まで幅広くなり、受験目的も、実力の測定に加え、就職や昇給・昇進のため、大学や大学院などへの入学のためと、変化や拡がりが見られるようになりました。

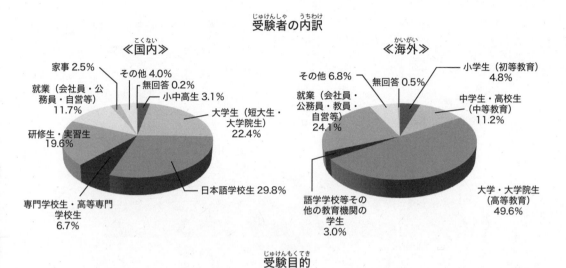

受験者の内訳

≪国内≫
- 家事 2.5%
- 就業（会社員・公務員・自営等）11.7%
- 研修生・実習生 19.6%
- 専門学校生・高等専門学校生 6.7%
- その他 4.0%
- 無回答 0.2%
- 小中高生 3.1%
- 大学生（短大生・大学院生）22.4%
- 日本語学校生 29.8%

≪海外≫
- その他 6.8%
- 就業（会社員・公務員・教員・自営等）24.1%
- 語学学校等その他の教育機関の学生 3.0%
- 無回答 0.5%
- 小学生（初等教育）4.8%
- 中学生・高校生（中等教育）11.2%
- 大学・大学院生（高等教育）49.6%

受験目的

≪国内≫

受験目的	割合
日本語の実力測定のため	60.7%
就職のため	14.0%
大学学部入試のため	11.6%
大学院入試のため	6.5%
専門学校入試のため	3.0%
奨学金申請のため	1.5%
短期大学入試のため	0.3%
その他	2.3%
無回答	0.1%
合計	100.0%

≪海外≫

受験目的	割合
自分の実力が知りたい	34.0%
自分の仕事やこれからの就職・昇給・昇進に役立つ（自分の国で）	30.7%
大学や大学院入学に必要（自分の国で）	10.8%
自分の仕事やこれからの就職・昇給・昇進に役立つ（日本で）	5.3%
大学や大学院入学に必要（日本で）	5.1%
その他の教育機関での入学や能力証明に必要（自分の国で）	4.9%
その他の教育機関での入学や能力証明に必要（日本で）	2.3%
その他	6.3%
無回答	0.6%
合計	100.0%

＊上のグラフと表は、2011 年第 2 回（12 月）試験の受験願書を通じて行った調査の結果です（回答者数：国内 70,413 人、海外 275,674 人）。

＊調査の選択項目は、それぞれの状況に合わせて作られたため、国内と海外で異なっています。

　このような変化に対応して、国際交流基金と日本国際教育支援協会は、試験開始から 20 年以上の間に発展してきた日本語教育学やテスト理論の研究成果と、これまでに蓄積してきた試験結果のデータなどを用いて、日本語能力試験の内容を改定し、2010 年から新しい日本語能力試験を実施しています。

② 日本語能力試験の特徴

(1) 課題遂行のための言語コミュニケーション能力を測ります

日本語能力試験では、①日本語の文字や語彙、文法についてどのくらい知っているか、ということだけでなく、②その知識を利用してコミュニケーション上の課題を遂行できるか、ということも大切だと考えています。私たちが生活の中で行っている様々な「課題」のうち、言語を必要とするものを遂行するためには、言語知識だけでなく、それを実際に利用する力も必要だからです。そこで、この試験では、①を測るための「言語知識」、②を測るための「読解」「聴解」という3つの要素により、総合的に日本語のコミュニケーション能力を測っています。

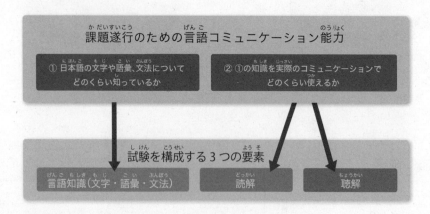

大規模試験のため、解答は選択枝※1によるマークシート方式で行います。話したり書いたりする能力を直接測る試験科目はありません。

(2) 5段階のレベルから、自分に合ったレベルが選べます

日本語能力試験には、5段階（N1、N2、N3、N4、N5）のレベルがあります。できるだけきめ細かく日本語能力を測るために、試験問題はレベルごとに作られています。

N4とN5では、主に教室内で学ぶ基本的な日本語がどのくらい理解できているかを測ります。N1とN2では、現実の生活の幅広い場面で使われる日本語がどのくらい理解できるかを測ります。N3は、N4、N5からN1、N2への橋渡しのレベルです。

各レベルの詳しい説明は、次の「③ 認定の目安」を見てください。

※1 本書では、日本テスト学会での使用例にしたがって、「選択肢」ではなく「選択枝」という用語を使っています。

（3）尺度得点で日本語能力をより正確に測ります

　異なる時期に実施される試験ではどんなに慎重に問題を作成しても、試験の難易度が毎回多少変動します。そのため、試験の得点を「素点」（何問正解したかを計算する得点）で出すと、試験が難しかったときと易しかったときとでは、同じ能力でも違う得点になることがあります。そこで、日本語能力試験の得点は、素点ではなく、「尺度得点」を導入しています。尺度得点は「等化」という方法を用いた、いつも同じ尺度（ものさし）で測れるような得点です。

　尺度得点を利用することで、試験を受けたときの日本語能力をより正確に、公平に、得点に表すことができます。尺度得点についての詳しい説明は、「 7 　尺度得点について」を見てください。

（4）『日本語能力試験 Can-do 自己評価レポート』を提供します

　日本語能力試験では、2010 年と 2011 年の受験者に対して、「日本語を使ってどのようなことができると考えているか」についてのアンケート調査を行いました。そして、各レベルの合格者の回答結果を、日本語能力試験公式ウェブサイトの「日本語能力試験 Can-do 自己評価調査プロジェクト」（http://www.jlpt.jp/about/candoproject.html）で公表しています。この調査は自己評価に基づくものですから、それぞれの合格者が実際にできることやできないことを正確に表したものではありません。しかし、各レベルの合格者が、自分の日本語能力についてどう思っているかを知ることはできます。そして、受験者やまわりの人々が、「このレベルの合格者は日本語を使ってどんなことができそうか」というイメージを作るための参考にすることができます。

　左のサンプルは 2011 年 6 月に、日本語能力試験公式ウェブサイトに掲載した『日本語能力試験 Can-do 自己評価レポート』の中間報告です[※2]。レポートは、「聞く」、「話す」、「読む」、「書く」の 4 つのセクションに分かれています。

　表の数字は、各レベルの合格者による自己評価（4：できる、3：難しいがなんとかできる、2：あまりできない、1：できない）の平均値です。Can-do の項目は、難しいと評価された順に並べました。

日本語能力試験 Can-do 自己評価レポート（N1-N3）《中間報告》　　聞く

4：できる、3：難しいがなんとかできる、2：あまりできない、1：できない　の4段階で自己評価してもらいました。表の数値は、各レベルの合格者による自己評価の平均値です。項目は、N1合格者の評価を基準に、難しいと思われているものから並べ替えました。

	N1	N2	N3
政治や経済などについてのテレビのニュースを見て、要点が理解できる	2.92	2.33	2.04
仕事や専門に関する問い合わせを聞いて、内容が理解できる	2.99	2.47	2.25
社会問題を扱ったテレビのドキュメンタリー番組を見て、話の要点が理解できる	3.09	2.50	2.28
あまりなじみのない話題の会話でも話の要点が理解できる	3.17	2.71	2.49
フォーマルな場（例 歓迎会など）でのスピーチを聞いて、だいたいの内容が理解できる	3.17	2.65	2.40
最近メディアで話題になっていることについての会話で、だいたいの内容が理解できる	3.22	2.72	2.41
関心あるテーマの議論や討論で、だいたいの内容が理解できる	3.35	2.92	2.65
学校や職場の会議で、話の流れが理解できる	3.35	2.94	2.70
関心あるテーマの講義や講演を聞いて、だいたいの内容が理解できる	3.37	2.95	2.73
思いがけない出来事（例 事故など）についてのアナウンスを聞いて、だいたい理解できる	3.39	2.97	2.74

※2　2012 年 9 月に、この調査の最終報告として、「日本語能力試験 Can-do 自己評価リスト」を日本語能力試験公式ウェブサイト（http://www.jlpt.jp/about/candolist.html）で公表しました。

③ 認定の目安

　各レベルの認定の目安は下のとおりです。認定の目安を「読む」、「聞く」という言語行動で表しています。それぞれのレベルには、それぞれの言語行動を実現するための言語知識が必要です。

レベル	認定の目安
↑ むずかしい	
N1	**幅広い場面で使われる日本語を理解することができる** **読む**・幅広い話題について書かれた新聞の論説、評論など、論理的にやや複雑な文章や抽象度の高い文章などを読んで、文章の構成や内容を理解することができる。 ・さまざまな話題の内容に深みのある読み物を読んで、話の流れや詳細な表現意図を理解することができる。 **聞く**・幅広い場面において自然なスピードの、まとまりのある会話やニュース、講義を聞いて、話の流れや内容、登場人物の関係や内容の論理構成などを詳細に理解したり、要旨を把握したりすることができる。
N2	**日常的な場面で使われる日本語の理解に加え、より幅広い場面で使われる日本語をある程度理解することができる** **読む**・幅広い話題について書かれた新聞や雑誌の記事・解説、平易な評論など、論旨が明快な文章を読んで文章の内容を理解することができる。 ・一般的な話題に関する読み物を読んで、話の流れや表現意図を理解することができる。 **聞く**・日常的な場面に加えて幅広い場面で、自然に近いスピードの、まとまりのある会話やニュースを聞いて、話の流れや内容、登場人物の関係を理解したり、要旨を把握したりすることができる。
N3	**日常的な場面で使われる日本語をある程度理解することができる** **読む**・日常的な話題について書かれた具体的な内容を表す文章を、読んで理解することができる。 ・新聞の見出しなどから情報の概要をつかむことができる。 ・日常的な場面で目にする難易度がやや高い文章は、言い換え表現が与えられれば、要旨を理解することができる。 **聞く**・日常的な場面で、やや自然に近いスピードのまとまりのある会話を聞いて、話の具体的な内容を登場人物の関係などとあわせてほぼ理解できる。
N4	**基本的な日本語を理解することができる** **読む**・基本的な語彙や漢字を使って書かれた日常生活の中でも身近な話題の文章を、読んで理解することができる。 **聞く**・日常的な場面で、ややゆっくりと話される会話であれば、内容がほぼ理解できる。
N5	**基本的な日本語をある程度理解することができる** **読む**・ひらがなやカタカナ、日常生活で用いられる基本的な漢字で書かれた定型的な語句や文、文章を読んで理解することができる。 **聞く**・教室や、身の回りなど、日常生活の中でもよく出会う場面で、ゆっくり話される短い会話であれば、必要な情報を聞き取ることができる。
やさしい	

4 試験科目と試験（解答）時間

次の「5 得点区分」でも述べるように、試験科目と得点区分は、分け方が異なります。

まず、実際に試験を受けるときの試験科目について、説明します。各レベルの試験科目と試験（解答）時間は下のとおりです。

レベル	試験科目 （試験[解答]時間）		
N1	言語知識（文字・語彙・文法）・読解 （110分）		聴解 （60分）
N2	言語知識（文字・語彙・文法）・読解 （105分）		聴解 （50分）
N3	言語知識（文字・語彙） （30分）	言語知識（文法）・読解 （70分）	聴解 （40分）
N4	言語知識（文字・語彙） （30分）	言語知識（文法）・読解 （60分）	聴解 （35分）
N5	言語知識（文字・語彙） （25分）	言語知識（文法）・読解 （50分）	聴解 （30分）

＊試験（解答）時間は変更される場合があります。また「聴解」は、試験問題の録音の長さによって試験（解答）時間が多少変わります。

N1とN2の試験科目は「言語知識（文字・語彙・文法）・読解」と「聴解」の2科目です。

N3、N4、N5の試験科目は「言語知識（文字・語彙）」「言語知識（文法）・読解」「聴解」の3科目です。

⑤ 得点区分

得点は、得点区分ごとに出されます。④で説明した試験科目と得点区分とは、分け方が異なります。

試験科目と得点区分の対応、得点の範囲は、下の表のようになっています。得点はすべて尺度得点です。尺度得点については、「⑦　尺度得点について」で説明します。

N1・N2　（総合得点の範囲：0〜180点）

試験科目	言語知識（文字・語彙・文法）・読解		聴解
得点区分	言語知識（文字・語彙・文法）	読解	聴解
得点の範囲	0〜60点	0〜60点	0〜60点

N3　（総合得点の範囲：0〜180点）

試験科目	言語知識（文字・語彙）	言語知識（文法）・読解	聴解
得点区分	言語知識（文字・語彙・文法）	読解	聴解
得点の範囲	0〜60点	0〜60点	0〜60点

N4・N5　（総合得点の範囲：0〜180点）

試験科目	言語知識（文字・語彙）	言語知識（文法）・読解	聴解
得点区分	言語知識（文字・語彙・文法）・読解		聴解
得点の範囲	0〜120点		0〜60点

＊得点はすべて尺度得点です。

N1、N2、N3の得点区分は「言語知識（文字・語彙・文法）」「読解」「聴解」の3区分です。
N4とN5の得点区分は「言語知識（文字・語彙・文法）・読解」と「聴解」の2区分です。

試験科目も、得点区分も、「言語知識」「読解」「聴解」の3つが基本ですが、より正確な日本語能力を測定するために、それぞれのレベルの学習段階の特徴に合わせ、レベルによって試験科目や得点区分の分け方を変えています。

⑥ 試験の結果

（1）合否の判定

　すべての試験科目を受験して、①すべての得点区分の得点が基準点以上で、②総合得点が合格点以上なら合格になります。各得点区分に基準点を設けるのは、「言語知識」「読解」「聴解」のどの要素の能力もそれぞれ一定程度備えているかどうか、評価するためです。得点区分の得点が1つでも基準点に達していない場合は、総合得点がどんなに高くても不合格になります。

　基準点と合格点は下のとおりです。

N1・N2・N3

レベル	得点区分別得点						総合得点	
	言語知識 （文字・語彙・文法）		読解		聴解		得点の範囲	合格点
	得点の範囲	基準点	得点の範囲	基準点	得点の範囲	基準点		
N1	0〜60点	19点	0〜60点	19点	0〜60点	19点	0〜180点	100点
N2	0〜60点	19点	0〜60点	19点	0〜60点	19点	0〜180点	90点
N3	0〜60点	19点	0〜60点	19点	0〜60点	19点	0〜180点	95点

N4・N5

レベル	得点区分別得点				総合得点	
	言語知識（文字・語彙・文法）・読解		聴解		得点の範囲	合格点
	得点の範囲	基準点	得点の範囲	基準点		
N4	0〜120点	38点	0〜60点	19点	0〜180点	90点
N5	0〜120点	38点	0〜60点	19点	0〜180点	80点

＊得点はすべて尺度得点です。

　例えば、N1の場合、すべての得点区分が19点以上で、総合得点が100点以上なら、合格になりますが、得点区分が1つでも18点以下であったり、総合得点が99点以下であった場合は、不合格になります。

（2）試験結果の通知

　受験者には、「合否結果通知書」を送ります。この通知書には、「合格」「不合格」のほかに、下の図の例のように、①「得点区分別得点」と②得点区分別の得点を合計した「総合得点」、③今後の日本語学習のための「参考情報」が記されています。③「参考情報」は合否判定の対象ではありません。

合否結果通知書サンプル（N1～N3用）

≪国内≫　　　　　　　　　　　　　　　　　　　≪海外≫

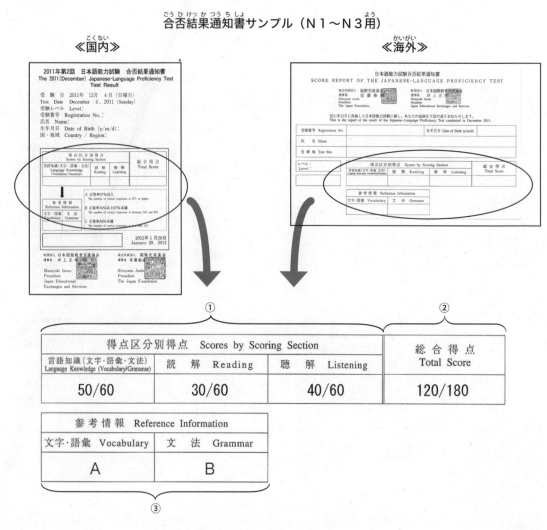

得点区分別得点　Scores by Scoring Section ①			総合得点 ② Total Score
言語知識（文字・語彙・文法） Language Knowledge (Vocabulary/Grammar)	読　解　Reading	聴　解　Listening	総　合　得　点 Total Score
50/60	30/60	40/60	120/180

参　考　情　報　Reference Information ③	
文字・語彙　Vocabulary	文　法　Grammar
A	B

　③「参考情報」は、得点区分が複数の部分を含んでいるとき、つまり、N1、N2、N3 は「文字・語彙」と「文法」について、N4 と N5 では「文字・語彙」「文法」「読解」について、記されます。ここに挙げた例では、「言語知識（文字・語彙・文法）」について、参考情報を見ると「文字・語彙」は A で、「文法」は B だったことがわかります。A、B、C の段階は、次の正答率を示しています。

```
A  正答率 67%以上
B  正答率 34%以上 67%未満
C  正答率 34%未満
```

　この「正答率」とは、それぞれの部分の全問題数の中で、正解した問題数の割合のことです。「いくつの問題に正しく答えたか」を表し、⑦で説明する尺度得点とは異なる方法で出しています。この「参考情報」は、合否判定には直接関係ありません。受験者が自分の能力の傾向を知ることによって、今後の日本語の学習の参考にすることができます。

⑦ 尺度得点について

（1）「素点」と「尺度得点」

　日本語能力試験の得点は「尺度得点」で出しています。

　試験には、得点を「素点」で出す方法もあります。「素点」は、いくつの問題に正しく答えたかをもとに計算する得点です。例えば、1つ2点の問題があって、正しく答えた問題数が10だったら20点、というように出します。しかし、試験問題は毎回変わるため、問題の難易度を毎回完全に一定に保つことはとても難しいです。ですから、素点では、試験問題が難しかったときの「10問正解・20点」と、試験問題が易しかったときの「10問正解・20点」が表す日本語能力は異なることになります。逆に言えば、同じ日本語能力の受験者であっても、試験問題が難しかったときと易しかったときとで、同じ得点にはなりません。

　これに対して、日本語能力試験では、受験者の日本語能力と試験結果を、より公平に対応づけるため、異なる時期に実施された試験でも、いつも同じ尺度（ものさし）で測れるような得点の出し方をしています。これを「尺度得点」と言います。

（2）尺度得点の利点

　尺度得点には、「試験の難易度と独立して日本語能力を評価し、統一の尺度に基づいて数値化できる」という、能力測定の方法論上、大変有益な特長があります。この特長により、受験者の日本語能力が同じなら、いつの試験を受験しても、同じ得点になります。また、同じレベルの得点なら、異なる回の試験で出された「尺度得点の差」を「日本語能力の差」として考えることが可能になります。

（3）尺度得点の算出過程

尺度得点を算出する具体的な方法は、「項目応答理論 (Item Response Theory; IRT)」という統計的テスト理論に基づいています。この手続きは、素点の算出法とは全く異なります。

まず、受験者一人一人が、それぞれの問題にどのように答えたか（正解したか、まちがったか）を調べます。それにより、受験者一人一人について「解答のパターン」が出ます。このそれぞれの「解答のパターン」を、各レベルの各得点区分のために作られた尺度（ものさし）の上に位置づけて、得点を出していきます。例えば、下の図のように、10問の試験問題で構成される試験では、どの問題に正解したか、まちがったかについて、最大で $2^{10} = 1,024$ 通りの解答パターンが存在します。日本語能力試験の場合、「 5 得点区分」で述べたように、1つの得点区分は 0 ～ 60 点（N4 と N5 の「言語知識（文字・語彙・文法）・読解」では 0 ～ 120 点）の尺度になっています。ここに、解答パターンを位置づけていきます。つまり、10問の場合、最大で 1,024 通りある解答パターンを 61 のグループに分類することになります。実際の試験では、問題の数がもっと多いので、解答パターンの数ももっと多くなります。そのため、ある2名の受験者について、互いに正答数や解答パターンは違っていても、同じ尺度得点になる場合もあります。逆に、正答数は同じでも解答パターンが異なるため、尺度得点が異なる場合もあります。

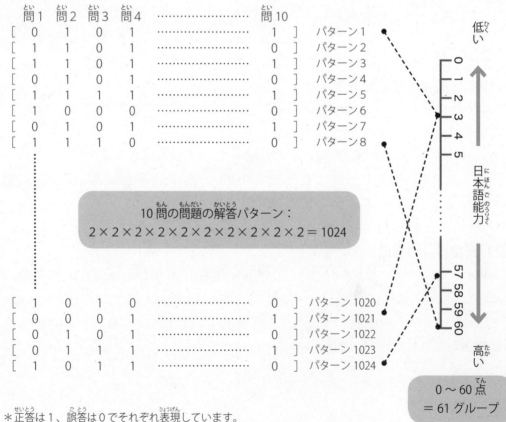

＊正答は 1、誤答は 0 でそれぞれ表現しています。

＊この対応付けは例です。

8 問題の構成と大問のねらい

（1）問題の構成

各レベルで出題する問題の構成は下のとおりです。

試験科目	大問*	小問数** N1	N2	N3	N4	N5
言語知識・読解 — 文字・語彙	漢字読み	6	5	8	9	12
	表記	—	5	6	6	8
	語形成	—	5	—	—	—
	文脈規定	7	7	11	10	10
	言い換え類義	6	5	5	5	5
	用法	6	5	5	5	—
	小問数合計	25	32	35	35	35
文法	文の文法1（文法形式の判断）	10	12	13	15	16
	文の文法2（文の組み立て）	5	5	5	5	5
	文章の文法	5	5	5	5	5
	小問数合計	20	22	23	25	26
読解***	内容理解（短文）	4	5	4	4	3
	内容理解（中文）	9	9	6	4	2
	内容理解（長文）	4	—	4	—	—
	統合理解	3	2	—	—	—
	主張理解（長文）	4	3	—	—	—
	情報検索	2	2	2	2	1
	小問数合計	26	21	16	10	6
聴解	課題理解	6	5	6	8	7
	ポイント理解	7	6	6	7	6
	概要理解	6	5	3	—	—
	発話表現	—	—	4	5	5
	即時応答	14	12	9	8	6
	統合理解	4	4	—	—	—
	小問数合計	37	32	28	28	24

* 「大問」とは、各試験科目で出題する問題を、測ろうとしている能力ごとにまとめたものです。

** 「小問数」は毎回の試験で出題される小問数の目安で、実際の試験での出題数は多少異なる場合があります。

また、小問数は変更される場合があります。

*** 「読解」では、1つのテキスト（本文）に対して、複数の問題がある場合もあります。

（2）大問のねらい

　下の表は、各レベルの「大問のねらい」を具体的に説明したものです。（「大問のねらい」の多言語翻訳版は、日本語能力試験公式ウェブサイト〈www.jlpt.jp〉に載っています。）

N1

試験科目 （試験時間）		大問		小問数*	ねらい
言語知識・読解 （110分）	文字・語彙	1	漢字読み	6	漢字で書かれた語の読み方を問う
		2	文脈規定	7	文脈によって意味的に規定される語が何であるかを問う
		3	言い換え類義	6	出題される語や表現と意味的に近い語や表現を問う
		4	用法	6	出題語が文の中でどのように使われるのかを問う
	文法	5	文の文法1 （文法形式の判断）	10	文の内容に合った文法形式かどうかを判断することができるかを問う
		6	文の文法2 （文の組み立て）	5	統語的に正しく、かつ、意味が通る文を組み立てることができるかを問う
		7	文章の文法	5	文章の流れに合った文かどうかを判断することができるかを問う
	読解**	8	内容理解 （短文）	4	生活・仕事などいろいろな話題も含め、説明文や指示文など200字程度のテキストを読んで、内容が理解できるかを問う
		9	内容理解 （中文）	9	評論、解説、エッセイなど500字程度のテキストを読んで、因果関係や理由などが理解できるかを問う
		10	内容理解 （長文）	4	解説、エッセイ、小説など1000字程度のテキストを読んで、概要や筆者の考えなどが理解できるかを問う
		11	統合理解	3	複数のテキスト（合計600字程度）を読み比べて、比較・統合しながら理解できるかを問う
		12	主張理解 （長文）	4	社説、評論など抽象性・論理性のある1000字程度のテキストを読んで、全体として伝えようとしている主張や意見がつかめるかを問う
		13	情報検索	2	広告、パンフレット、情報誌、ビジネス文書などの情報素材（700字程度）の中から必要な情報を探し出すことができるかを問う
聴解 （60分）		1	課題理解	6	まとまりのあるテキストを聞いて、内容が理解できるかどうかを問う（具体的な課題解決に必要な情報を聞き取り、次に何をするのが適当か理解できるかを問う）
		2	ポイント理解	7	まとまりのあるテキストを聞いて、内容が理解できるかどうかを問う（事前に示されている聞くべきことをふまえ、ポイントを絞って聞くことができるかを問う）
		3	概要理解	6	まとまりのあるテキストを聞いて、内容が理解できるかどうかを問う（テキスト全体から話者の意図や主張などが理解できるかを問う）
		4	即時応答	14	質問などの短い発話を聞いて、適切な応答が選択できるかを問う
		5	統合理解	4	長めのテキストを聞いて、複数の情報を比較・統合しながら、内容が理解できるかを問う

＊　「小問数」は毎回の試験で出題される小問数の目安で、実際の試験での出題数は多少異なる場合があります。また、小問数は変更される場合があります。

＊＊　「読解」では、1つのテキスト（本文）に対して、複数の問題がある場合もあります。

N 2

試験科目 (試験時間)			問題の構成		
			大問	小問 数*	ねらい
言語知識 ・ 読解 (105分)	文字・語彙	1	漢字読み	5	漢字で書かれた語の読み方を問う
		2	表記	5	ひらがなで書かれた語が、漢字でどのように書かれるかを問う
		3	語形成	5	派生語や複合語の知識を問う
		4	文脈規定	7	文脈によって意味的に規定される語が何であるかを問う
		5	言い換え類義	5	出題される語や表現と意味的に近い語や表現を問う
		6	用法	5	出題語が文の中でどのように使われるのかを問う
	文法	7	文の文法1 (文法形式の判断)	12	文の内容に合った文法形式かどうかを判断することができるかを問う
		8	文の文法2 (文の組み立て)	5	統語的に正しく、かつ、意味が通る文を組み立てることができるかを問う
		9	文章の文法	5	文章の流れに合った文かどうかを判断することができるかを問う
	読解**	10	内容理解 (短文)	5	生活・仕事などいろいろな話題も含め、説明文や指示文など200字程度のテキストを読んで、内容が理解できるかを問う
		11	内容理解 (中文)	9	比較的平易な内容の評論、解説、エッセイなど500字程度のテキストを読んで、因果関係や理由、概要や筆者の考え方などが理解できるかを問う
		12	統合理解	2	比較的平易な内容の複数のテキスト(合計600字程度)を読み比べて、比較・統合しながら理解できるかを問う
		13	主張理解 (長文)	3	論理展開が比較的明快な評論など、900字程度のテキストを読んで、全体として伝えようとしている主張や意見がつかめるかを問う
		14	情報検索	2	広告、パンフレット、情報誌、ビジネス文書などの情報素材(700字程度)の中から必要な情報を探し出すことができるかを問う
聴解 (50分)		1	課題理解	5	まとまりのあるテキストを聞いて、内容が理解できるかどうかを問う(具体的な課題解決に必要な情報を聞き取り、次に何をするのが適当か理解できるかを問う)
		2	ポイント理解	6	まとまりのあるテキストを聞いて、内容が理解できるかどうかを問う(事前に示されている聞くべきことをふまえ、ポイントを絞って聞くことができるかを問う)
		3	概要理解	5	まとまりのあるテキストを聞いて、内容が理解できるかどうかを問う(テキスト全体から話者の意図や主張などが理解できるかを問う)
		4	即時応答	12	質問などの短い発話を聞いて、適切な応答が選択できるかを問う
		5	統合理解	4	長めのテキストを聞いて、複数の情報を比較・統合しながら、内容が理解できるかを問う

* 「小問数」は毎回の試験で出題される小問数の目安で、実際の試験での出題数は多少異なる場合があります。また、小問数は変更される場合があります。

** 「読解」では、1つのテキスト(本文)に対して、複数の問題がある場合もあります。

N3

試験科目 （試験時間）			問題の構成		
			大問	小問数*	ねらい
言語知識 （30分）	文字・語彙	1	漢字読み	8	漢字で書かれた語の読み方を問う
		2	表記	6	ひらがなで書かれた語が、漢字でどのように書かれるかを問う
		3	文脈規定	11	文脈によって意味的に規定される語が何であるかを問う
		4	言い換え類義	5	出題される語や表現と意味的に近い語や表現を問う
		5	用法	5	出題語が文の中でどのように使われるのかを問う
言語知識 ・ 読解 （70分）	文法	1	文の文法1 （文法形式の判断）	13	文の内容に合った文法形式かどうかを判断することができるかを問う
		2	文の文法2 （文の組み立て）	5	統語的に正しく、かつ、意味が通る文を組み立てることができるかを問う
		3	文章の文法	5	文章の流れに合った文かどうかを判断することができるかを問う
	読解**	4	内容理解 （短文）	4	生活・仕事などいろいろな話題も含め、説明文や指示文など150〜200字程度の書き下ろしのテキストを読んで、内容が理解できるかを問う
		5	内容理解 （中文）	6	書き下ろした解説、エッセイなど350字程度のテキストを読んで、キーワードや因果関係などが理解できるかを問う
		6	内容理解 （長文）	4	解説、エッセイ、手紙など550字程度のテキストを読んで、概要や論理の展開などが理解できるかを問う
		7	情報検索	2	広告、パンフレットなどの書き下ろした情報素材（600字程度）の中から必要な情報を探し出すことができるかを問う
聴解 （40分）		1	課題理解	6	まとまりのあるテキストを聞いて、内容が理解できるかどうかを問う（具体的な課題解決に必要な情報を聞き取り、次に何をするのが適当か理解できるかを問う）
		2	ポイント理解	6	まとまりのあるテキストを聞いて、内容が理解できるかどうかを問う（事前に示されている聞くべきことをふまえ、ポイントを絞って聞くことができるかを問う）
		3	概要理解	3	まとまりのあるテキストを聞いて、内容が理解できるかどうかを問う（テキスト全体から話者の意図や主張などが理解できるかを問う）
		4	発話表現	4	イラストを見ながら、状況説明を聞いて、適切な発話が選択できるかを問う
		5	即時応答	9	質問などの短い発話を聞いて、適切な応答が選択できるかを問う

* 「小問数」は毎回の試験で出題される小問数の目安で、実際の試験での出題数は多少異なる場合があります。また、小問数は変更される場合があります。

** 「読解」では、1つのテキスト（本文）に対して、複数の問題がある場合もあります。

N4

試験科目 (試験時間)		問題の構成		
		大問	*小問数	ねらい
言語知識 (30分)	文字・語彙	1　漢字読み	9	漢字で書かれた語の読み方を問う
		2　表記	6	ひらがなで書かれた語が、漢字でどのように書かれるかを問う
		3　文脈規定	10	文脈によって意味的に規定される語が何であるかを問う
		4　言い換え類義	5	出題される語や表現と意味的に近い語や表現を問う
		5　用法	5	出題語が文の中でどのように使われるのかを問う
言語知識 ・ 読解 (60分)	文法	1　文の文法1 （文法形式の判断）	15	文の内容に合った文法形式かどうかを判断することができるか を問う
		2　文の文法2 （文の組み立て）	5	統語的に正しく、かつ、意味が通る文を組み立てることができる かを問う
		3　文章の文法	5	文章の流れに合った文かどうかを判断することができるかを問う
	**読解	4　内容理解 （短文）	4	学習・生活・仕事に関連した話題・場面の、やさしく書き下ろした 100～200字程度のテキストを読んで、内容が理解できるかを問う
		5　内容理解 （中文）	4	日常的な話題・場面を題材にやさしく書き下ろした450字程度の テキストを読んで、内容が理解できるかを問う
		6　情報検索	2	案内やお知らせなど書き下ろした400字程度の情報素材の中から 必要な情報を探し出すことができるかを問う
聴解 (35分)		1　課題理解	8	まとまりのあるテキストを聞いて、内容が理解できるかどうかを 問う（具体的な課題解決に必要な情報を聞き取り、次に何をする のが適当か理解できるかを問う）
		2　ポイント理解	7	まとまりのあるテキストを聞いて、内容が理解できるかどうか を問う（事前に示されている聞くべきことをふまえ、ポイントを 絞って聞くことができるかを問う）
		3　発話表現	5	イラストを見ながら、状況説明を聞いて、適切な発話が選択でき るかを問う
		4　即時応答	8	質問などの短い発話を聞いて、適切な応答が選択できるかを問う

*　「小問数」は毎回の試験で出題される小問数の目安で、実際の試験での出題数は多少異なる場合があります。また、
　　小問数は変更される場合があります。

**　「読解」では、1つのテキスト（本文）に対して、複数の問題がある場合もあります。

N 5

試験科目 (試験時間)		問題の構成		
		大問	小問数*	ねらい
言語知識 (25分)	文字・語彙	1 漢字読み	12	漢字で書かれた語の読み方を問う
		2 表記	8	ひらがなで書かれた語が、漢字・カタカナでどのように書かれるかを問う
		3 文脈規定	10	文脈によって意味的に規定される語が何であるかを問う
		4 言い換え類義	5	出題される語や表現と意味的に近い語や表現を問う
言語知識 ・ 読解 (50分)	文法	1 文の文法1 (文法形式の判断)	16	文の内容に合った文法形式かどうかを判断することができるかを問う
		2 文の文法2 (文の組み立て)	5	統語的に正しく、かつ、意味が通る文を組み立てることができるかを問う
		3 文章の文法	5	文章の流れに合った文かどうかを判断することができるかを問う
	読解	4 内容理解 (短文)	3	学習・生活・仕事に関連した話題・場面の、やさしく書き下ろした80字程度のテキストを読んで、内容が理解できるかを問う
		5 内容理解 (中文)	2	日常的な話題・場面を題材にやさしく書き下ろした250字程度のテキストを読んで、内容が理解できるかを問う
		6 情報検索	1	案内やお知らせなど書き下ろした250字程度の情報素材の中から必要な情報を探し出すことができるかを問う
聴解 (30分)		1 課題理解	7	まとまりのあるテキストを聞いて、内容が理解できるかどうかを問う(具体的な課題解決に必要な情報を聞き取り、次に何をするのが適当か理解できるかを問う)
		2 ポイント理解	6	まとまりのあるテキストを聞いて、内容が理解できるかどうかを問う(事前に示されている聞くべきことをふまえ、ポイントを絞って聞くことができるかを問う)
		3 発話表現	5	イラストを見ながら、状況説明を聞いて、適切な発話が選択できるかを問う
		4 即時応答	6	質問などの短い発話を聞いて、適切な応答が選択できるかを問う

* 「小問数」は毎回の試験で出題される小問数の目安で、実際の試験での出題数は多少異なる場合があります。また、小問数は変更される場合があります。

** 「読解」では、1つのテキスト(本文)に対して、複数の問題がある場合もあります。

⑨ よくある質問

（1）試験で測る能力について

Q 「課題遂行のための言語コミュニケーション能力」というのはどういうことですか。「課題」の意味も教えてください。

A 私たちは生活の中で、例えば「地図を見ながら目的の場所まで行く」とか「説明書を読みながら電気製品を使う」というような様々な「課題」に取り組んでいます。「課題」の中には、言語を必要とするものと、そうでないものがあります。
言語を必要とする「課題」を遂行するためには、文字・語彙・文法といった言語知識だけでなく、その言語知識を利用してコミュニケーション上の課題を遂行する能力も大切です。「課題遂行のための言語コミュニケーション能力」は、この両方を含んでいます。日本語能力試験では、文字・語彙・文法などの言語知識と、読む・聞くなどの言語行動（課題）がどこまでできるかという能力を総合的に測っています。
日本語能力試験の改定にあたり、旧試験[1]の応募者に、受験願書を通じて、所属や受験目的などについてのアンケート調査を行いました。その調査結果から、「学習」「就業」「生活」の3つの領域において、日本語学習者が日本語を用いて、どんなことを行っているか、または将来行うと予想されるか、という「課題」を推測しました。この「課題」は、日本語能力試験の応募者のうち、約8割が海外の応募者であることも考慮して、学習者が多様な学習環境で出会う、現実の場面の様々なトピックを想定しています。

（2）レベルについて

Q1 受験するレベルはどのように決めればいいですか。

A1 72ページの「認定の目安」を参考にしてください。また、この『日本語能力試験公式問題集』で実際に試験に出る同じ形式の問題を解きながら、具体的にレベルを確かめることもできます。
また、旧試験を受けたことがあったり、旧試験の情報がある場合、今の試験のレベルは、旧試験の級と合否判定水準（合格ライン）において対応していますので、それも手がかりになります。

※1 2009年までの、改定前の日本語能力試験のこと。

Q2 日本語能力試験は、2010 年に改定されたとき、問題形式が変更されたり新しい問題形式が追加されたりしましたが、今の試験のレベルと旧試験の級とはどのように合わせたのですか。

A2 今の試験では、統計分析の結果を踏まえて、合否判定水準（合格ライン）が旧試験とほぼ同じになるように設定しました。これにより、旧試験の 1 級、2 級、3 級、4 級に合格できる日本語能力を持った受験者は、それぞれ今の試験の N1、N2、N4、N5 に合格できる日本語能力を持っていると解釈できます。2010 年に新設された N3 については、旧試験の 2 級と 3 級の合否判定水準における日本語能力レベルを統計学的に分析し、この間に N3 の合格点が収まるように設定しました。

<参考>今の試験のレベルと旧試験の級の対応

N1	旧試験の 1 級とほぼ同じ。
N2	旧試験の 2 級とほぼ同じ。
N3	旧試験の 2 級と 3 級の間。
N4	旧試験の 3 級とほぼ同じ。
N5	旧試験の 4 級とほぼ同じ。

（3）試験科目や試験時間について

Q1 N3、N4、N5 では、「言語知識」が、「言語知識（文字・語彙）」と「言語知識（文法）・読解」のように 2 つの試験科目に分かれているのはどうしてですか。

A1 N3、N4、N5 は習得した言語知識がまだ少ないため、試験に出せる語彙や文法の項目が限られています。そのため、N1 と N2 のように 1 つの試験科目にまとめると、いくつかの問題がほかの問題のヒントになることがあります。このことを避けるために、N3、N4、N5 では「言語知識（文字・語彙）」と「言語知識（文法）・読解」の 2 つの試験科目に分けています。

Q2 日本語能力試験には、会話や作文の試験がありますか。

A2 現段階ではどちらもありません。

（4）試験問題について

Q1 日本語能力試験の解答方法は、すべてマークシートですか。

A1 はい、多枝選択によるマークシート方式です。選択枝の数はほとんど４つですが、「聴解」では３つの問題もあります。

Q2 N1とN2の「聴解」の最後の問題で、問題文に、「この問題には練習はありません」と書かれています。これはどういう意味ですか。

A2 「聴解」のほかの問題には、受験者に問題形式や答え方を理解してもらうための例題がありますが、最後の問題にはそのような例題の練習がない、ということです。

Q3 日本語能力試験では、日本に関する文化的な知識が必要な問題が出題されますか。

A3 日本に関する文化的な知識そのものを問う問題はありません。文化的な内容が問題に含まれる場合もありますが、その知識がなければ解答できないような問題は出題していません。

（5）試験のための勉強について

Q1 過去に出題された試験問題は出版されますか。

A1 毎回の試験をそのまま問題集として出版することはしませんが、今後も一定期間ごとに、過去に出題した試験問題を使って問題集を発行する予定です。発行時期などは、日本語能力試験公式ウェブサイト〈www.jlpt.jp〉などで発表します。

Q2 2010年に試験が改定されてから、『出題基準』が非公開になったのはなぜですか。

A2 日本語学習の最終目標は、語彙や漢字、文法項目を暗記するだけではなく、それらをコミュニケーションの手段として実際に利用できるようになることだと考えています。日本語能力試験では、その考え方から、「日本語の文字・語彙・文法といった言語知識」と共に、「その言語知識を利用して、コミュニケーション上の課題を遂行する能力」を測っています。そのため、語彙や漢字、文法項目のリストが掲載された『出題基準』の公開は必ずしも適切ではないと判断しました。

『出題基準』の代わりの情報として、「認定の目安」（72ページ）や「問題の構成と

大問のねらい」（79〜84ページ）があります。公開している問題例も参考にしてください。また、今の試験のレベルは、旧試験の級と、合否判定水準（合格ライン）において対応していますので、旧試験の試験問題や『出題基準』も手がかりになります。

（6）申し込みと受験の手続きについて

Q1 試験は年に何回実施されますか。

A1 7月と12月の2回です。ただし海外では、7月の試験だけ実施する都市や、12月の試験だけ実施する都市があります。詳しくは、日本語能力試験公式ウェブサイト〈www.jlpt.jp〉を見てください。

Q2 試験の日は決まっていますか。

A2 7月と12月の初旬の日曜日に行います。（ただし海外では、7月の試験だけ実施する都市や、12月の試験だけ実施する都市があります。）

Q3 一部の試験科目だけ申し込むことはできますか。

A3 できません。

Q4 自分が住んでいる国や都市で日本語能力試験が実施されるかどうか、どうすればわかりますか。

A4 日本語能力試験の海外の実施国・地域や実施都市については、日本語能力試験公式ウェブサイト〈www.jlpt.jp〉で確認できます。日本国内の実施都道府県については、日本国際教育支援協会の日本語能力試験ウェブサイト〈info.jees-jlpt.jp〉で確認できます。

Q5 申し込みのとき、試験を受けたい国・地域にいませんが、どうしたらいいですか。

A5 必ず、受験地の実施機関に申し込みをしてください。自分で申し込みができなかったら、受験地の友達や知っている人に頼んでください。

Q6 日本語能力試験はどんな人が受験できますか。

A6 母語が日本語でない人なら、だれでも受験できます。年齢制限もありません。

Q7 日本国籍を持っていますが母語は日本語ではありません。受験はできますか。

A7 母語が日本語でない人なら、だれでも受験できます。日本国籍を持っているかどうかは関係がありません。言語を使う状況は人によって違うので、その人の母語が日本語でないかどうかは、申し込みを受け付ける実施機関が判断します。迷ったら、実施機関に相談してください。

Q8 身体等に障害がある人の受験はできますか。

A8 はい、できます。身体等に障害がある人のために、受験特別措置を行っています。受験地の実施機関に問い合わせてください。受験特別措置を希望する人は、申し込みのとき、願書と共に「受験特別措置申請書」を提出することが必要です。

（7）得点と合否判定について

Q1 試験の結果を受け取ると、N4、N5 では、試験科目が別々だった「言語知識（文字・語彙)」と「言語知識（文法)・読解」が、1つの得点区分にまとまっています。なぜですか。

A1 日本語学習の基礎段階にある N4、N5 では、「言語知識」と「読解」の能力で重なる部分、未分化な部分が多いので、「言語知識」と「読解」の得点を別々に出すよりも、合わせて出す方が学習段階の特徴に合っていると考えたためです。

Q2 それぞれの得点区分の中で、各問題の配点はどのようになっていますか。

A2 試験の中には、各問題の配点を決めておき、正解した問題の配点を合計して、得点を出す方式もありますが、日本語能力試験では、「項目応答理論」に基づいた尺度得点方式なので、問題ごとの配点を合計するという方法ではありません。尺度得点についての説明は 77 ～ 78 ページを見てください。

Q3 結果通知をもらい、得点はわかりましたが、自分が受験者全体の中でどのくらいの位置だったのか知りたいです。

A3 日本語能力試験公式ウェブサイト〈www.jlpt.jp〉に、「尺度得点累積分布図」というグラフが載っています。合否結果通知書に書かれている尺度得点とこのグラフを使うと、自分と同じ試験を受けた受験者全体の中で、自分がどの位置にいるかを知ることができます。

Q4 試験の問題用紙は、試験終了後、持ち帰ることができますか。

A4 試験の問題用紙を持ち帰ることはできません。問題用紙を持ち帰ると失格になります。

Q5 試験が終わった後で、正解を知ることはできますか。

A5 正解は公開していません。

Q6 成績をもらったら、思っていた得点と違ったのですが、確かめてもらえますか。

A6 一人一人の得点は、機械処理だけではなく、専門家による厳正な点検をして出しています。受験案内に明記されているように、個別の成績に関する問い合わせには、一切答えられません。

なお、日本語能力試験の得点は「尺度得点」という得点です。「尺度得点」は、77～78ページの説明のとおり、受験者一人一人の「解答のパターン」をもとに出す得点です。「正しく答えた数」から出される得点ではありません。そのため、自分で思っていた得点とは違う結果になることもあります。

（8）試験の結果通知について

Q1 試験の結果はいつ、どのようにもらえますか。

A1 受験者全員に、合否結果通知書を送ります。日本国内の場合、第1回（7月）試験の結果は9月上旬、第2回（12月）試験の結果は2月上旬に送る予定です。海外の場合は、受験地の実施機関を通じて送りますので、第1回（7月）試験の結果は10月上旬、第2回（12月）試験の結果は3月上旬に受験者に届く予定です。また、2012年からは、インターネットで試験結果を見られるようになる予定です。詳し

くは、2012 年 9 月上旬に日本語能力試験公式ウェブサイト〈www.jlpt.jp〉に掲載します。（ただし、日本国内ではインターネット〈info.jees-jlpt.jp〉による申し込みを行った受験者だけが、試験結果を見ることができます。）

Q2 日本語能力試験の認定に有効期限はありますか。

A2 日本語能力試験の認定に有効期限はありません。また、旧試験の結果（認定）も無効にはなりません。ただし、試験の結果を参考にする企業や教育機関が有効期限を決めている場合があるようです。必要に応じて企業や教育機関に個別に確認してください。

Q3 日本語能力試験の結果は、日本の大学で入学試験の参考資料として使われますか。また、就職のときに役に立ちますか。

A3 日本の大学では、原則として独立行政法人日本学生支援機構が実施する「日本留学試験」の結果を参考にしています。「日本留学試験」を実施していない国・地域からの留学生のために、日本語能力試験の結果を参考にする場合もあります。詳しくは、入学を希望する大学に直接問い合わせてください。また、就職のときの扱いについては、就職したいと考えている企業に直接問い合わせてください。

Q4 勤務先から日本語能力を公的に証明できる書類を提出するように言われました。過去の受験結果について、証明書の発行が受けられますか。

A4 所定の手続きを行えば、希望者には「日本語能力試験認定結果及び成績に関する証明書」を発行しています。申請方法は、日本で受験した人は日本国際教育支援協会のウェブサイト〈info.jees-jlpt.jp〉を見てください。海外で受験した人は日本語能力試験公式ウェブサイト〈www.jlpt.jp〉を見てください。

Q5 合否結果通知書や日本語能力認定書をなくしてしまったのですが。

A5 再発行はできませんが、その代わりに「日本語能力試験認定結果及び成績に関する証明書」を発行することはできます。申請方法は、日本で受験した人は日本国際教育支援協会のウェブサイト〈info.jees-jlpt.jp〉を見てください。海外で受験した人は日本語能力試験公式ウェブサイト〈www.jlpt.jp〉を見てください。

（9）『日本語能力試験 Can-do 自己評価レポート』について

Q1 「認定の目安」と『日本語能力試験 Can-do 自己評価レポート』はどのように違うのですか。

A1 「認定の目安」は日本語能力試験が各レベルで求めている能力水準を示すものです。これに対して、『日本語能力試験 Can-do 自己評価レポート』は受験者からの情報です。各レベルの合格者が「自分は日本語でこういうことができると思う」と考えている内容を表しています。つまり、合格の基準やレベルの水準ではありません。「このレベルの合格者は日本語を使ってどんなことができそうか」というイメージを作るための参考にしてください。

Q2 『日本語能力試験 Can-do 自己評価レポート』に書いてあることは、そのレベルに合格した人みんなができると考えていいですか。

A2 いいえ。これは、合格した人が「・・・ことができると思うか」という質問に対して、4段階の自己評価を行ったものです。表の数字はその平均値です。ですから、できることを正確に表したものではなく、そのレベルに合格した人みんなが必ず「できる」と保証するものでもありません。けれども、合格した人がどのようなことを「できる」と思っているかはわかるので、受験者やまわりの人々の参考情報にはなると思います。

Q3 試験科目には「会話」や「作文」などがないのに、『日本語能力試験 Can-do 自己評価レポート』に「話す」と「書く」の技能に関する記述があるのはなぜですか。

A3 『日本語能力試験 Can-do 自己評価レポート』は、アンケート調査をもとに、各レベルの合格者が日本語を使ってどのようなこと（聞く・話す・読む・書く）ができると考えているかをまとめたものです。日本語能力試験では会話や作文の試験は行っていませんが、受験者やまわりの人々の参考になるように、「話す」と「書く」の技能も含めて調査を行い、レポートにしました。

Q4 受験料、申し込み期限、願書の入手方法など、申し込みのための具体的な手続きを教えてください。

A4 日本で受験したい人は日本国際教育支援協会のウェブサイト〈info.jees-jlpt.jp〉を見てください。海外で受験したい人は受験地の実施機関に問い合わせてください。海外の実施機関は日本語能力試験公式ウェブサイト〈www.jlpt.jp〉で確認できます。

(10) その他

Q1 日本語能力試験の主催者はどこですか。

A1 国際交流基金と日本国際教育支援協会です。
国内においては日本国際教育支援協会が、海外においては国際交流基金が各地の実施機関の協力を得て、実施しています。
台湾では、財団法人交流協会との共催で実施しています。

Q2 日本語能力試験の試験問題の著作権は、だれが所有しますか。

A2 試験問題の著作権は、主催者の国際交流基金と日本国際教育支援協会が所有します。

Q3 今後、日本語能力試験の情報はどこでわかりますか。

A3 日本語能力試験公式ウェブサイト〈www.jlpt.jp〉で随時更新を行います。

日本語能力試験　公式問題集　N3

2012 年　3 月 31 日　初版第 1 刷発行
2013 年　4 月 21 日　初版第 2 刷発行

著作・編集　　　独立行政法人　国際交流基金
〒 160-0004　東京都新宿区四谷 4-4-1
電話　03-5367-1021
URL　http://www.jpf.go.jp/

公益財団法人　日本国際教育支援協会
〒 153-8503　東京都目黒区駒場 4-5-29
電話　03-5454-5215
URL　http://www.jees.or.jp/

日本語能力試験公式ウェブサイト
URL　http://www.jlpt.jp/

発行　　　　　　株式会社　凡人社
〒 102-0093　東京都千代田区平河町 1-3-13
電話　03-3263-3959
URL　http://www.bonjinsha.com/

印刷　　　　　　モリモト印刷株式会社

ISBN 978-4-89358-819-7
©2012 The Japan Foundation, and Japan Educational Exchanges and Services
Printed In Japan